感染管理とマニュアル作成に活かせる：

千葉大学病院

病院感染予防対策
パーフェクト・マニュアル

改訂第3版

監修 猪狩英俊
千葉大学医学部附属病院感染制御部長・感染症内科教授

編集 千葉 均
千葉大学医学部附属病院感染制御部看護師長

千葉大学病院
CHIBA UNIVERSITY HOSPITAL

ICT

診断と治療社

刊行にあたって

　『千葉大学病院　病院感染予防対策パーフェクト・マニュアル　改訂第3版』が刊行されます．2015年の初版以来，多くの医療機関で利用され，感染症および感染管理を担当する方々からのご支持をいただくことができましたこと，たいへんうれしいかぎりです．

　第2版は2020年3月に発刊されています．まさに新型コロナウイルス感染症の流行が始まったタイミングでした．手指衛生，マスク着用，3密回避，フィジカルディスタンスといった言葉が毎日のようにテレビ・新聞等でも取り上げられました．医療機関では，標準予防策（プラス接触感染対策，飛沫感染対策，空気感染対策）と呼ばれている感染対策が，言葉を換えて一般の人々に啓発され，COVID-19パンデミック下の実践的行動となりました．

　千葉大学病院でも，新型コロナウイルス感染症に関する知見を得るごとに，新たな対策を導入し，強化する日々が続きました．感染対策に対する意識は，医療従事者のみならず，患者さんの目も厳しくなってきました．当院の感染対策マニュアルでは，感染管理の理念（ミッション，ビジョン，バリュー）を明確にし，SDGsの取り組みにも触れました．

　2022年診療報酬改定では，地域のネットワークで実施する感染対策がより強く打ち出されたと考えています．診療所や行政，医師会との連携が盛り込まれています．COVID-19パンデミックから得られた教訓です．マニュアルは院内限定であり，院外活動に利用することは想定していません．一つ一つの医療機関が主体性をもって，感染対策を強化することは重要です．それが，地域の感染対策の向上につながると考えます．

　本書は，ほぼ千葉大学病院のマニュアルですので，この本をみている皆様にとっては，「マニュアルに利用できる素材集」です．ぜひ，皆様の医療機関の事情に合わせて，加筆修正してください．そして，皆様の医療機関で実践できるものへブラッシュアップしていただきたいと考えています．

　今回の第3版の刊行にあたり，当院感染制御部　千葉均看護師長を中心に編集作業を行ってきました．そして，診断と治療社　編集部の坂上昭子様からは多くの提案と支援をいただきました．この場をかりて御礼申し上げます．本書は，これからも改訂を続けます．皆様からのご意見等をお聞かせいただければ幸いです．

2023年6月

千葉大学医学部附属病院　感染制御部長
感染症内科教授
猪狩英俊

目 次

※イラストの無断転載を禁ず

マニュアル作成・改訂執筆者一覧

監修
猪狩　英俊（感染制御部長・感染症内科教授）
編集
千葉　　均（感染制御部看護師長　感染管理認定看護師）

執筆者
猪狩　英俊（感染制御部長・感染症内科教授）
石和田稔彦（真菌医学研究センター感染症制御分野教授）
谷口　俊文（感染制御部副部長・感染症内科准教授）
矢幅　美鈴（感染制御部）
戸来　依子（感染制御部）
千葉　　均（感染制御部看護師長　感染管理認定看護師）
漆原　　節（感染制御部看護師　感染管理認定看護師）
谷中　麻里（感染制御部看護師　感染症看護専門看護師）
奥田　佳男（感染制御部看護師）
越川　広美（感染制御部看護師）
宮森　祐子（NICU・GCU看護師長）
村田　正太（検査部副技師長）
山崎　伸吾（薬剤部副部長）
高塚　博一（薬剤部薬剤師）
天田　裕子（リハビリテーション部）
鶴岡　裕太（臨床栄養部）
奥村健一郎（放射線部）
岸田　友治（医事課医療安全室）
井崎　幸子（医事課医療安全室）
丸山祐理子（総務課広報係）
伊藤　香奈（イラストレーター）
石村　りさ（フォトセンター）

本マニュアルの活用方法

管理

本マニュアルは各部署のリスクマネージャーが管理し，各診療科・部署で活用してください．
※一部に病院感染と院内感染の言葉が混在しておりますが同義語としてご理解ください．

目的

病院感染対策は，病院の基本的な機能の1つです．感染対策の破綻は，患者やさまざまは人々へ不利益をもたらすだけでなく，病院，さらには地域への負担を増すことになります．また，職員自身も感染の危険にさらされるため本マニュアルを活用し効果的な感染対策を実行してください．

実践

病院感染対策の基本は『標準予防策』です．標準というのは行うべき対策がどのような場面にもあるということです．感染対策の必要性が生じた場合だけでなく，日常的に本マニュアルを通して感染対策に関する知識を深め，適切に実践できるようにしてください．

感染制御の目指すところ

感染制御の実践は，継続的な取り組みが必要となります．その"理念"として以下のミッション・ビジョン・バリューに基づきマニュアルを定め活動します．また，活動の際は『持続可能な開発目標（SDGs）』(https//sdgs.un.org/goals)の「3.すべての人に健康と福祉を」と「12.つくる責任　つかう責任」を参考に以下を取り組みます．

理念

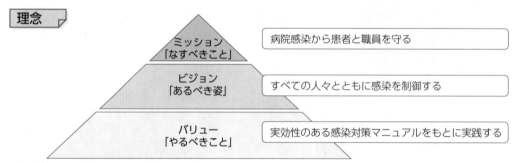

ミッション「なすべきこと」	病院感染から患者と職員を守る
ビジョン「あるべき姿」	すべての人々とともに感染を制御する
バリュー「やるべきこと」	実効性のある感染対策マニュアルをもとに実践する

持続可能な開発目標（SDGs）

感染症および感染対策に関連する部分の抜粋

- 3.3 伝染病の根絶や水系感染症およびその他の感染症に対処するため，すべての職員が感染対策を継続的に実践します．
- 3.9 有害化学物質，水質，土壌の汚染を減少させるため，院内で排出する廃棄物の適正処理を管理します．
- 12.2 天然資源の効率的な利用を念頭に，環境に配慮した製品の導入や利用，使用に努めます．
- 12.5 廃棄物の大幅な削減に向け，廃棄物の適正な処理と再生利用および再利用可能な製品の導入や開発を進めます．

千葉大学病院病院感染対策の体制

1. 院内感染対策に関する基本方針 ···

平成19年7月2日　制定

第1　基本的考え方について

1. 院内感染対策については，病院職員個人の努力はもとより必要であるが，高度化・複雑化する医療環境の中では病院職員個人の努力に依存した対策のみでは対応に限界があり，組織的な取組みが必要である．このため千葉大学医学部附属病院(以下「病院」という.)が組織的に院内感染対策について検討し，患者に安全・確実な医療を提供するため，次のとおり基本方針を定める.

2. 病院内における感染症の発生を予防するとともに，適切な対応・治療を行うことにより感染症の蔓延を防止する．このためには，病院にかかわる職員・外部委託業者などが一致団結する必要があり，場合によっては患者の協力も必要となり得る．なお，病院は，種々の学生教育を担う場でもあることから，患者との接触を伴う学生(以下「学生等」という.)についても，病院職員同様の対応を求める．また，院内感染対策は，単に病院内での感染にかかわらず，院内感染に影響を及ぼす可能性のあるすべてについても対象とする.

第2　委員会，その他組織に関することについて

　院内感染の防止は，病院長，医療安全管理責任者，感染制御部及び千葉大学医学部附属病院感染管理委員会(以下「感染管理委員会」という.)，感染制御担当職員(感染制御マネージャー)(以下「ICM」という.)を中心に病院全体で取り組む.

第3　従業者に対する研修等について

1. すべての病院職員は，感染管理委員会またはインフェクションコントロールチーム(以下「ICT」という.)及び抗菌薬適正使用支援チーム(以下「AST」という.)が主催する研修等への参加義務(各年2回)を負う.

2. ICT及びASTは，各部署における院内感染対策に関する勉強会等の支援を行う.

3. 外部委託業者及び学生等に関しては，各責任者の監督の下で，基本的な感染予防や感染対策について研修等を実施する．病院が必要と判断する場合には，ICTおよびASTが主催する研修等への参加を求める.

第4　感染症の発生状況及び抗菌薬使用状況の報告について

1. ICT及びASTは，院内感染対策に関する情報として，耐性菌などの分離状況や抗菌薬使用状況，重症感染症患者及び流行性疾患患者の発生状況(以下「感染情報」という.)を把握し，速やかに該当する診療科や部署と連携を図り情報の共有と活動を行う.

2. ICT及びASTは，必要がある場合には，病院長並びにICMに連絡を行う.

3. 感染情報は，ICTが行う週1回のICTラウンド及びASTが行う週1回の抗菌薬ラウンド実施時に診療科及び部署等に報告し，これを検討することで院内感染対策の実施状況の確認や改善に繋げる.

4. 感染情報については，感染管理委員会及び運営会議等を通して定期的に情報提供を行う.

5. ICTは流行性疾患患者の対応等，即時的に院内全体での対応が必要となる場合は，定められた連絡方法で病院職員へ周知・徹底を図る.

第5　院内感染発生時の対応について

1. 院内感染対策に関する対応は，院内感染予防対策マニュアルや種々のガイドラインに則り対策を実行する.

2. 病院職員は，院内感染の発生または発生が疑われる場合には，直ちにICTに連絡するとともに，主治医，ICT及びICMが協力して対応・治療にあたる．また，原因究明のための疫学調査を病院職員が一致団結して行い，根本対策と再発防止策を講じる.

3. 必要により第三者機関の協力を求める.

第6　患者等への当該基本方針の閲覧について

　本基本方針は，患者等が自由に閲覧することができるよう，病院のホームページ上に公開する.

第7　その他，院内感染対策の推進のために必要な事項について

1. 病院感染予防対策マニュアルを定め，随時改訂する.
2. 保健所，医師会及び地域の医療機関と平時より連携し，新興感染症への対応やアウトブレイク等の際に相互に協力し対策を行う.
3. 国公立大学附属病院感染対策協議会及び千葉県院内感染対策協議会等と連携，協力体制を構築し，感染症対応や情報の収集・提供に努める.

第8　その他

　本基本方針は，感染管理委員会において見直しを行う.

2. 千葉大学病院病院感染管理体制 ··

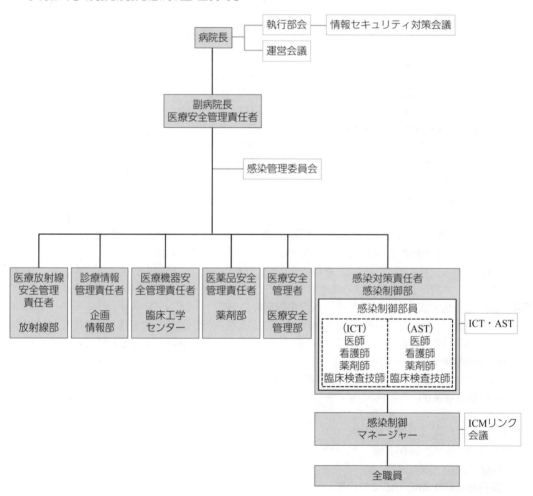

3. 感染制御マネージャー(ICM)の役割 ··

　感染制御担当職員(感染制御マネージャー)(Infection Control Manager：「以下ICM」という.)は関連する規程および病院感染の防止に関する基本方針に基づき，活動を円滑に行うために，各部門から選出され以下の役割を担う．各部門の管理者と連携しながら感染対策のロールモデルとして感染対策に必要な実践や指導等を行う．

主な役割

・部門における感染症患者の把握と感染対策の実施状況の確認．
・部門における感染対策実施状況の把握と問題点を明確にし，改善に向けた介入を行う．
・易感染者における感染予防策の実施状況の把握．
・部門における針刺し・切創，皮膚・粘膜曝露発生状況の確認と再発防止対策の検討．
・滅菌物や衛生材料，物品や機器などの状況確認と，必要時の改善策の検討とその実践．
・抗菌薬や消毒薬の適正使用方法の指導．
・環境整備の実施と改善．
・ICT・ASTが主催するセミナー等の参加の促進と，部門の参加状況の把握と報告．

主な業務

・部門における感染対策の実践のロールモデルとして活動する．
・部門における感染対策の実施状況を常に監視する．問題点においてはICTや部門の管理者と連携し解決に向けた取り組みを実践する．
・部門のスタッフ(医師，看護師，看護助手，クラークなど)に対して，感染対策の教育や指導を実施する．
・感染対策に関した問題(隔離方法・処置やケアの方法，患者や家族指導)に関して，部門の管理者や感染制御部と連携して解決する．
・感染症情報の確認やICTラウンドへの参加を行う．
・部門の問題点を解決する目的としてICT・ASTと協力してサーベイランスを行う．
・針刺し・切創，皮膚・粘膜曝露の対応と，発生後の再発防止策を検討し実践する．
・一般廃棄物や感染性廃棄物の適切な分別が行われるように指導・調整する．
・滅菌物や物品の衛生的な使用や保管に積極的に関わり病院感染を予防する．
・その他，必要時にはICT・ASTと連携をとり問題の解決に取り組む．

具体的な活動内容

●通年業務
1) ICT・AST関連情報の部門への伝達
　メールで周知文書が発出されたことを受けたら，リスクマネージャーと協力し自部門の職員に研修システムから周知文書を閲覧するよう促す．また，自部門の周知確認状況を確認し100%となるよう取組む．
2) ICT・ASTセミナーなどへの受講勧奨・取りまとめ
　セミナーなどの部門スタッフへの参加を促す．特に，全職員の受講が必須な研修・セミナーに関しては，自部門の受講状況を確認し動画視聴を含め100%となるよう取組む．
3) 針刺し・切創・皮膚・粘膜曝露の部門での活動
・針刺し・皮膚・粘膜曝露などを受けた部門のスタッフの初期対応を行う．
・年間の事例発生を取りまとめ，再発防止に向け診療科や部門内で検討し改善活動をする．
4) インフルエンザなど流行性感染症発生時の部署での対応窓口
・部門スタッフがインフルエンザ等に罹患した場合(疑い含む)の初期対応を行う．
・感染症の流行拡大を防止するため，早期に適切な対応が取れるよう，病院感染予防対策マニュアルで事例発生時の対応行動を事前に対処できるようにしておく．

●緊急業務

1）結核・麻疹・水痘・多剤耐性菌など感染症患者発生時の対応窓口

　陰圧個室も含む個室管理が必要となり，部屋移動〜病棟移動が必要となった場合，主治医と協力して対応する．また，職員が結核の曝露を受けた場合には，部門の管理者と協力して接触者リストの作成を行う．

2）患者・職員でのアウトブレイク発生時の対応窓口

　部門の代表として対応にあたる．

●その他

1）サーベイランスなどICTからの依頼に対する対応

　ICTから病院内感染対策に関わるサーベイランスなどの依頼通知を受けた場合，部門内との調整や調査に協力する．

A　標準予防策

──────── résumé ────────

1　標準予防策
2　手指衛生
3　個人防護具(PPE)
　・手袋
　・サージカルマスク
　・N95マスク
　・エプロン，ガウン
　・フェイスシールド，アイシールド
　・キャップ，シューズカバー
4　洗浄，消毒. 滅菌
　・洗浄
　・消毒

・滅菌
・機材の処理方法
5　病院環境整備と清掃，ゾーニング
・リネン類の管理
・使用済みリネン類の分別・回収方法
・清拭タオルの取り扱い
・ベッド，マットレス，車いす，ストレッチャーの衛生管理
・空調管理
・咳エチケットとユニバーサルマスキング

Point

- 標準予防策は，内容を細分化し，マニュアルを作成する必要があります.
- マニュアル化する際は，重要な項目から作成し，ページの順番は自施設で重要な順に並べ替えると使いやすくなります.
- 手指衛生，個人防護具，リネン管理，器具の洗浄などは重要なので，必ずマニュアル化します.
- 針刺し対策のマニュアルは，特に重要なため，章を別にしてまとめ，すべての医療従事者がみることができるようにしています.
  （B　職業感染対策　p.29〜44参照）

MEMO

標準予防策

▷ 標準予防とは

標準予防策とは，すべての患者の①血液，②汗を除くすべての体液，分泌液，排泄物，③粘膜，④損傷した皮膚を感染の可能性のある物質とみなし対応することで，患者と医療従事者双方における感染の危険性を減少させる予防策である．施設ごとに重要と思われる項目をマニュアル化し，対策を行う（表A-1）．

▷ 実施する必要性

感染症の有無を判断する際のスクリーニング検査では，潜伏期間やウインドウ期をカバーすることは不可能であり，また未知の感染症に対しては無防備である．これらのスクリーニング検査だけで実施するべき特定の対策を判断することは限界と問題があるため，標準予防策を実施する必要がある．

▷ 標準予防策と経路別予防策

1）感染対策はすべての患者に実施する「標準予防策」と特定の病原体（患者）に対して実施する「感染経路別予防策」に大別される．

2）感染経路別予防策とは，診断や検査結果によって判明した感染症およびその疑い例に対して用いる予防策であり，感染症特有の感染経路を遮断することで有効な感染対策を実施するものである．感染経路は，接触感染，飛沫感染，空気感染，の3つに分類される．

3）感染経路別予防策が必要な患者の病室や病床には，特定の表示物を掲示し，感染対策の必要性がひと目でわかるように行うものとする．
① 接触感染予防策：図C-3（p.49）を掲示
② 飛沫感染予防策：図C-4（p.50）を掲示
③ 空気感染予防策：図C-5（p.51）を掲示

表A-1 **標準予防策における項目**

項目	本マニュアル
1．手指衛生	A-2
2．個人防護具	A-3
3．咳エチケット	A-5
4．洗浄・消毒・滅菌	A-4
5．病院環境整備	A-5
6．リネン類の管理	A-5
7．患者配置	D
8．安全な注射手技	本マニュアルにはありません
9．職業感染対策（従業者の安全）	B
10．特殊な腰椎穿刺処置のための感染制御の実務	本マニュアルにはありません

② 手指衛生

▶ 手洗い，手指消毒

　医療従事者の手指を介しての交差感染を予防する．すべての医療行為の基本となり，感染防止においても重要な行為である．

①目にみえる汚染がある場合は，流水と石けんによる手洗いを行う．効果的な手洗い方法は図A-1を参照．

②目にみえる汚染がない場合は，速乾性手指消毒剤を用いる．速乾性手指消毒剤による手指の消毒方法は図A-2を参照．

▶ 手洗いの種類

　手洗いには衛生学的手洗い，手術時手洗い，一般的手洗いがあり，患者とかかわる医療従事者は職種に関係なく衛生学的手洗いや目的に応じ手術時手洗いを実施する．手荒れ防止のためハンドケアを実施する．

１）衛生学的手洗い(hygienic handwashing)

　皮膚通過菌と一部の常在菌を一時的に除去することを目的とする．

a）手に汚れがみえる場合は効果的な手洗い手順を守り30秒程度の時間をかけ，流水と石けんによる手洗いを実施する．

b）手に汚れがみえない場合は速乾性手指消毒剤のみで消毒をする．

c）排泄のケアや吐物処理後は流水と石けんによる手洗いを実施する．

２）手術時手洗い(surgical handwashing)

　手術など侵襲的な手技の前に行われる手洗いであり，最も衛生水準の高い手洗いである．通過菌と常在菌を除去することを目的としている．

a）ブラシ法：古くからの方法で，スクラブ剤を使用し，ブラシを用いて手指から前腕部を消毒・洗浄する方法．

b）ラビング法：通常の石けんで手洗い後，速乾性手指消毒剤で消毒する方法．効果と手荒れ予防の観点から現在主流とされる方法．

c）ツーステージ法：ブラシ法とラビング法を合わせた手法．

▶ 手洗い・手指消毒が必要な場面

①患者に直接接触する前．

②侵襲的処置を行う前(血管内カテーテル，尿道カテーテル挿入時など)．

③体液，排泄物，粘膜，傷のある皮膚，被覆した創傷に触れた後．

④同一患者の汚染部位から清潔部位に移る場合．

⑤そのほか，汚染が考えられる場合．

▶ 手指衛生時の注意点

①指輪や腕時計などは手洗いの邪魔になり，十分な洗浄ができないので外す．

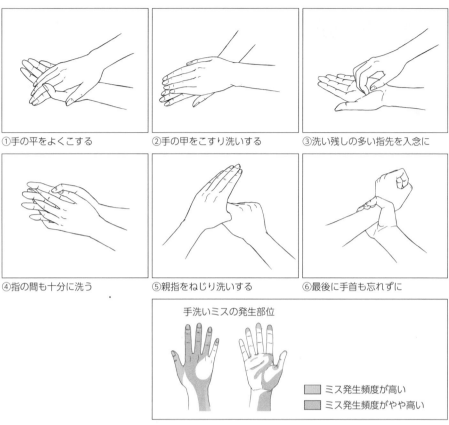

①手の平をよくこする ②手の甲をこすり洗いする ③洗い残しの多い指先を入念に

④指の間も十分に洗う ⑤親指をねじり洗いする ⑥最後に手首も忘れずに

手洗いミスの発生部位

■ ミス発生頻度が高い
■ ミス発生頻度がやや高い

図A-1 効果的な手洗い方法（衛生学的手洗い方法）
注意事項：1．指輪や腕時計を外す，2．爪は短く保つ，3．手袋を外した後は手洗いをする，4．ペーパータオルでよく拭き乾燥させる

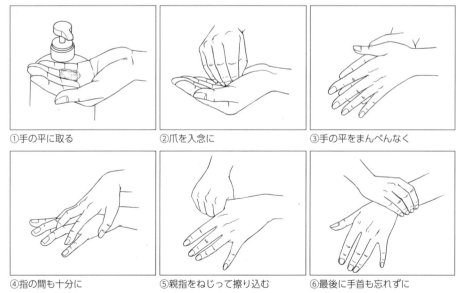

①手の平に取る ②爪を入念に ③手の平をまんべんなく

④指の間も十分に ⑤親指をねじって擦り込む ⑥最後に手首も忘れずに

図A-2 速乾性手指消毒剤による手指の消毒方法
注意事項：1．エタノールに過敏症の場合は使用に注意する，2．消毒が効かない微生物の接触時は手洗いをする，3．20〜30秒かけて擦り込むこと，4．爪先は最初に消毒すること

3 個人防護具（PPE）

▶ 個人防護具（PPE）

防護具は，病原体が感受性のある局所へと伝播することを防止する目的で使用する．そのため，治療や処置など実施する作業に合わせて防護具を各自適切に選択し使用する（表A-2）．

表A-2　職業感染防止のためのPPEの使用基準

代表的な処置	手袋	エプロン	サージカルマスク	キャップ（帽子）	アイシールドフェイスシールド
血糖チェックインシュリン注射	○		○		○
吸引・口腔ケア	○	○	○		○
創処置・ドレーン留置・交換	○	○	○	任意	○
入浴介助	○	○	○		○
患者の排泄ケア	○	○ ガウン着用	○	任意	○
感染性リネンの交換	○	○	○		○
器材の洗浄	○	○	○	任意	○
採血，末梢静脈カテーテル挿入や抜去	○		○		○
リハビリ		任意	○		○
点滴作成時薬剤の吸入曝露予防（安全キャビネット以外）	○	任意	○	任意	○

▶ 防護具の着脱手順

①防護具は，正しい順序で着用し，正しい順序で外すことが重要である．
②着脱の前後には手指衛生を行い，手の汚染を着衣や防護具に付着させないようにする必要がある．
③正しい手順で行うことで，作業者は不用意な汚染の危険性を回避できる．
④状況や場面により着脱の物品数や順番が変更するため，正しい手順を確認する（図A-3，図A-4）．

▶ 防護具を外すときの注意点

①「汚染の強い手袋」から外すこと．
②手袋を外した後には「手指衛生」を行うこと．
③プラスチックエプロン，ガウンは「丸めて脱ぐ」こと．
　（汚染個所を内側にしながら汚染を曝露しないように注意する）
④脱ぐときに手指が汚染した場合はその都度手指衛生を行う．

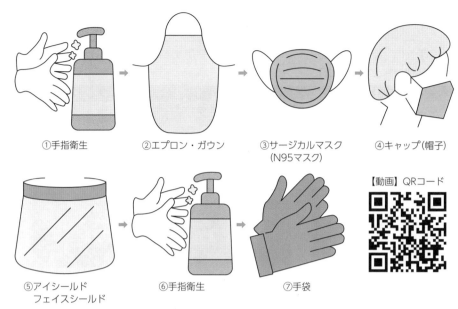

図A-3　個人防護具の着用手順

あらかじめサージカルマスクを装着している場合は③は飛ばす(N95マスクの場合は③で実施)

図A-4　個人防護具の脱衣手順

🥄 手袋（図A-5，表A-3）••

医療従事者の手指の汚染を防ぐために下記のような場面で使用する．
①血液・体液，排泄物などを扱うとき．
②嘔吐や下痢などを伴う処置，オムツ交換や排泄介助のとき．
③医療従事者から易感染性患者への伝播を防止する必要があるとき．
④その他疾患に伴った感染防止が必要なとき．
　※手袋の着用前，着用後には手指衛生を行う．脱ぐときは，汚染個所に触れないよう注意する．

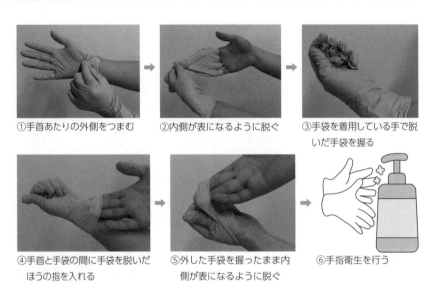

①手首あたりの外側をつまむ　②内側が表になるように脱ぐ　③手袋を着用している手で脱いだ手袋を握る

④手首と手袋の間に手袋を脱いだほうの指を入れる　⑤外した手袋を握ったまま内側が表になるように脱ぐ　⑥手指衛生を行う

図A-5　手袋の脱ぎ方

表A-3　手袋の種類と特徴

種類	特徴
塩化ビニール製手袋	最も簡便な処置の際に使用する 例えば，廃液処理や物品の処理など数分の作業時に用いる ＊破損しやすいので手の汚染に注意する
ラテックス製手袋	採血や処置などの際に使用する．やや長めの数分〜数十分程度の作業時に用いる 製品によりアレルギー症状の出る場合があるため注意する ＊長時間の作業をする際には破損の可能性もあるため，ある程度時間が経ったら一度外して，再度手洗いを実施し，再装着するほうが望ましい
ニトリル製手袋	採血や処置などの際に使用する．やや長めの数分〜数十分程度の作業に用いる 製品の特長としてアレルギー反応が起こりにくいとされている ＊長時間の作業をする際には破損の可能性もあるため，ある程度時間が経ったら一度外して，再度手洗いを実施し，再装着するほうが望ましい
一般家庭用ゴム手袋	破損しにくく，再利用できるため器材の洗浄などの際に使用する場合もある．再利用できる素材であるが，内部の汚染や悪臭も考慮し，1〜2週間を目安に交換する必要がある

＊滅菌，未滅菌にかかわらず手袋を外した後は必ず手指衛生を実施する

サージカルマスク

①医療従事者を患者の感染性物質（呼吸器分泌物および血液や体液の飛沫など）への接触から守るために，医療従事者が装着する．
②医療従事者の口や鼻に保菌されている感染性微生物の曝露から患者を守るため，または滅菌テクニックを必要とするときに医療従事者が装着する．
③患者からほかの人々に感染性呼吸器分泌物が拡散するのを制限するために咳をしている患者が装着する．

▶ 使用方法（図A-6a，b，図A-7）

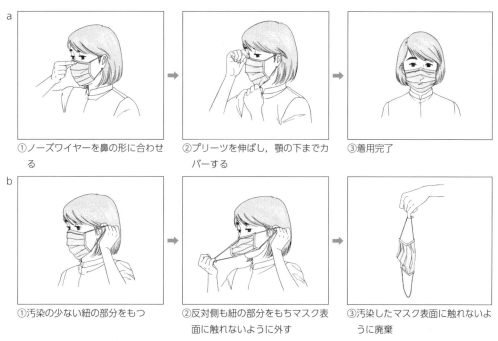

a

①ノーズワイヤーを鼻の形に合わせる　②プリーツを伸ばし，顎の下までカバーする　③着用完了

b

①汚染の少ない紐の部分をもつ　②反対側も紐の部分をもちマスク表面に触れないように外す　③汚染したマスク表面に触れないように廃棄

図A-6　正しい着脱方法
a：マスクの着け方，b：マスクの外し方

×口だけマスク　　　×耳マスク　　　×腕マスク

図A-7　誤った使用方法
誤った使用方法では感染源からの曝露を防ぐことができず，また感染を広める可能性がある．サージカルマスクはシングルユースであるため，再使用しない

🎈 N95マスク

N95マスクは，5μm未満の空気感染性微生物の伝播を防ぐために医療従事者が用いる（表A-4，図A-8a，b）．フィットテストによるマスク適合性の確認を年1回実施し，ユーザーシールチェック（フィットチェックから改称）は装着ごとに毎回実施する必要性がある．

表A-4　**N95マスクの使用および廃棄基準**

疾患	使用および廃棄の基準
結核	1勤務終了後破棄（同勤務帯内では茶封筒を用意し保管） 同勤務帯であってもシールチェックで合わなくなったら交換する
麻疹	（抗体陰性者のみ使用）毎回破棄
水痘・播種性帯状疱疹	（抗体陰性者のみ使用）毎回破棄

a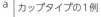

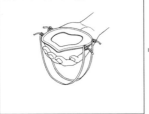

①マスクの鼻あてを指のほうに向けて，ゴムバンドが下に垂れるように，カップ状にもつ

②鼻あてを上にしてマスクが顎を包むように被せる

③上側のゴムバンドを頭頂部近くにかける

④下側のゴムバンドを首の後ろにかける

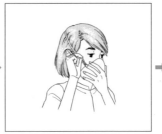

⑤両手で鼻あてを押さえながら，指先で押さえつけるようにして鼻あてを鼻の形に合わせる

⑥両手でマスク全体を覆い，息を強く出し空気が漏れていないかチェックする

b

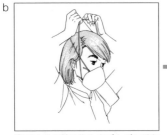

①マスクの首の後ろのゴムバンドを外す

②頭頂部のゴムバンドを外す

図A-8　**N95マスクの着脱方法**
a：マスクの着け方，b：マスクの外し方

🔍 エプロン，ガウン ··

　袖のないものをエプロン，袖のあるものをガウンとする．未滅菌のエプロンやガウンは，医療従事者の白衣や腕，露出した皮膚の汚染を防ぐために使用する．脱ぐときは，汚染個所に触れないよう注意する（図A-9，図A-10）．またエプロンやガウンは，上肢・上腕が汚染されるか（汚染される可能性があるか）どうかで使い分ける．

　エプロンやガウンを使用すべき場面は，以下の通り．
①血液・体液，排泄物などが白衣や腕，皮膚に接触する可能性があるとき．
②大量の廃液を扱うとき．
③嘔吐や下痢などを伴う処置，オムツ交換や排泄介助のとき．
④医療従事者から易感染性患者への伝播を防止する必要があるとき．
⑤その他疾患に伴った感染防止が必要なとき．

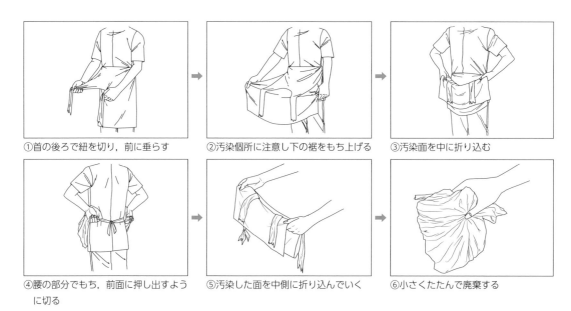

①首の後ろで紐を切り，前に垂らす　　②汚染個所に注意し下の裾をもち上げる　　③汚染面を中に折り込む

④腰の部分でもち，前面に押し出すように切る　　⑤汚染した面を中側に折り込んでいく　　⑥小さくたたんで廃棄する

図A-9　エプロンの脱ぎ方

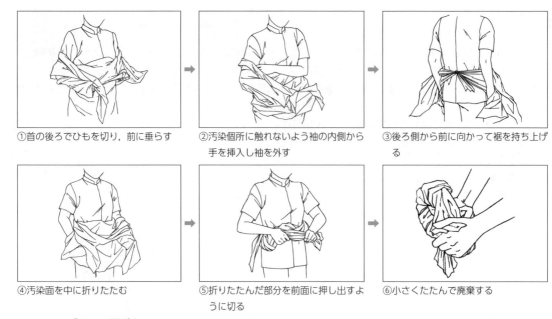

①首の後ろでひもを切り，前に垂らす

②汚染個所に触れないよう袖の内側から手を挿入し袖を外す

③後ろ側から前に向かって裾を持ち上げる

④汚染面を中に折りたたむ

⑤折りたたんだ部分を前面に押し出すように切る

⑥小さくたたんで廃棄する

図A-10　**ガウンの脱ぎ方**

🔍 フェイスシールド，アイシールド ‥‥‥‥‥‥‥‥‥‥‥‥‥‥‥‥‥‥‥‥‥

　フェイスシールドつきマスクの役割は，血液・体液などの湿性生体物質が飛散する場合に，眼の粘膜や口，鼻の粘膜への曝露から医療従事者を守る．アイシールドはそのうち眼の粘膜曝露を防止するために用いる（図A-11a，b）．

▶ フェイスシールドつきマスクやアイシールドを使用する場面

①内視鏡検査時や気管吸引，気管内挿管時．
②マスクを着用していない患者と接するとき．
③口腔内処置や口腔ケア．
④手術時や放射線検査時．
⑤洗浄・消毒などの器材を扱うとき．
⑥未知の病原体への対応のとき．

▶ 注意すること

①個人用メガネやコンタクトレンズは防護にならないため，フェイスシールドつきマスクやアイシールドを着用すること．
②アイシールドのフレームを再利用する場合は，洗浄し（必要時消毒），乾燥させてから使用すること．

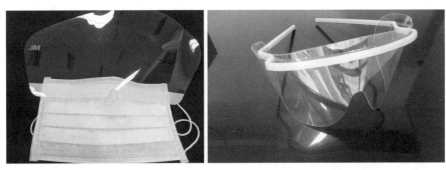

図A-11　フェイスシールドとアイシールド
a：フェイスシールドとサージカルマスク．眼の粘膜，口や鼻の粘膜曝露を防止する．使用後は廃棄する
b：アイシールド．眼の粘膜曝露を防止する．使用後，シールドは廃棄，フレームは消毒後再利用

🔍 キャップ，シューズカバー ···

▶ キャップ（図A-12）

　キャップ（帽子）は，手術や検査・処置時，または洗浄作業などで血液や体液などの汚染物質が頭部へ飛散する可能性のあるときに汚染を防ぐ役割を果たす．また毛髪や頭部に付着している埃や微生物を清潔野に落下させないために用いることもある．

▶ シューズカバー

　シューズカバーは，靴の汚染を防ぐことや靴から環境への汚染を防ぐために使用する．シューズカバーを履いた後や脱いだ後は，手が汚染されていると考え手指衛生を実施する必要がある（図A-13）．
　次のようなときにおもに使用を検討する．
①血液や体液，排泄物などで広範囲に汚染した場所で活動する場合．
②足元に血液や体液，排泄物などが飛散する可能性がある場合．
③清潔なエリアに入室する際，靴の汚染が拡散しないようにする場合．

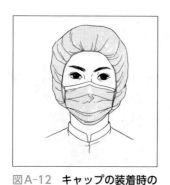

図A-12　キャップの装着時の注意点
毛髪はすべてキャップの中に入れ込む．耳もカバーする

図A-13　シューズカバーを脱ぐときの注意点
①カバーの汚染面にできるだけ触れないように脱ぐ
②脱いだ後は，手指衛生を実施する

4 洗浄，消毒，滅菌

留意点　●器材の取り扱いおよび再生方法については，必ず添付文書にて確認する
　　　　●環境汚染や感染防止のため，原則，部署での一次洗浄は行わない
　　　　●消毒・滅菌の違いを理解し(表A-5)，感染の危険度に応じて医療器材を分類し，適切な対応・処理(表A-6，表A-7)を行う(部署の業務上必要な場合は手順を決めて行う)

表A-5　洗浄，消毒，滅菌

洗浄	滅菌を効果的に遂行できる程度まで，あるいは意図する使用に適するまで，対象物からあらゆる異物(汚染，有機物など)を物理的に除去すること
消毒	対象器材の芽胞を除く生存微生物数を，死滅・使用するのに適切である水準まで減少させること
滅菌	細菌芽胞を含むすべての生育可能な微生物が存在しない・死滅状態にすること

表A-6　用語の定義

SUD	単回使用医療機器
R-SUD	使用済のSUDを医療機器製造販売業者がその責任の下で適切に収集し，分解，洗浄，部品交換，再組立て，滅菌等の処理を行い，再び使用できるようにするための仕組み

表A-7　Spauldingの分類

分類	適応	処理分類	機材(例)
クリティカル	皮膚や粘膜を貫通する，もしくは無菌組織や血管系に挿入される器材 細菌芽胞を含むあらゆる微生物の除去が必要	【滅菌】 材料部での洗浄工程を経て滅菌処理 耐熱性：熱水洗浄→高圧蒸気滅菌 非耐熱性：洗浄→低温滅菌	手術器材 インプラント器材 カテーテル器材 その他
セミクリティカル	粘膜または創傷のある皮膚と接触する医療器材	【高水準消毒】 材料部での洗浄工程を経て消毒処理 耐熱性：熱水洗浄→乾燥 非耐熱性：洗浄→消毒薬による浸漬	内視鏡 麻酔関連器材 人工呼吸器部品関連 救急カート搭載再生品
		【中水準消毒】 一般的な洗浄もしくは材料部での洗浄を経て消毒処理 耐熱性：熱水洗浄→乾燥 非耐熱性：洗浄→消毒薬による浸漬もしくは清拭	直腸体温計
ノンクリティカル	患者と直接接触しない，または創傷のない皮膚と接触するが粘膜とは接触しない器材	【低水準消毒】 一般的な洗浄と乾燥 耐熱性：熱水洗浄→乾燥 非耐熱性：洗浄→消毒薬による浸漬・清拭	腋窩体温計，血圧計 電子医療器材，聴診器 便器，尿器，ベッド 環境表面(床頭台，車椅子，オーバーテーブル)

🔍 洗浄 ・・

▶ 洗浄の必要性

①消毒や滅菌が無効になることがあるため十分な洗浄により微生物数を減らすことが重要となる.

②器具に付着した有機物や汚れの残存は微生物を消毒や滅菌から保護することになり, 消毒や滅菌が完全に行えなくなるため**洗浄は必須**である(表A-8, 表A-9).

表A-8 **洗浄の種類**

区分	洗浄方法	特性
用手洗浄	ブラッシング洗浄	ブラシの物理的作用により汚染物を除去 ブラシ・スポンジ・ウォータガンなどの洗浄アクセサリーが必要
	浸漬洗浄	洗剤による化学的作用と循環水流による物理的作用により汚染物を除去 専用シンク, 恒温槽などの設備が必要
	清拭洗浄	水濡れまたは浸漬厳禁の器材に適応 清拭材で拭き取る物理的作用と洗剤による化学的作用で汚染物を拭き取り除去
器械洗浄	ウォッシャーディスインフェクター(WD)	蛋白質の除去を目的に, 洗浄・すすぎ・消毒・乾燥までを自動で行う機器
	超音波洗浄器	洗浄液に超音波を照射して洗浄
	減圧沸騰式洗浄器	約40〜90℃で沸騰が行え, 沸騰により洗浄とすすぎが行われる
	内視鏡洗浄器(AER)	洗浄剤, 消毒薬, エタノールの3種類が用いられ, 洗浄・すすぎ・消毒・最終すすぎ・エタノールフラッシュが一般的工程

表A-9 **汚染物の種類・対応**

	種類	特性	対処方法
生体由来	血液	凝固や乾燥による固着	速やかな洗浄 凝固防止剤散布などの凝固・乾燥防止策
	体液	乾燥による固着	
	脂肪	水では不溶 温度が高いほど流動性が上がる	洗浄温度を上げる 界面活性剤配合洗浄剤の使用
	骨・軟骨	水・洗剤では不溶 洗浄装置で除去困難	前洗浄時の物理的除去
	組織	水では不溶 洗浄装置で除去困難	
	熱・薬剤変性物	強固で除去困難	ブラッシングによる物理的除去 3%過酸化水素溶液への浸漬 超音波を用いた洗浄
処置・使用薬剤	セメント	経時的に硬化する	付着後直ちに拭き取る 専用除去剤の使用
	接着剤	洗浄剤で除去困難	
	染色液	乾燥により固着 水に不溶のものがある	付着後直ちに拭き取る エタノールなど溶剤や専用除去剤の使用
	消毒薬	WDへの影響ある発泡特性 浸漬洗浄時, 洗浄液に浸入した際の酵素劣化	前洗浄時に流水などで除去

🔎 消毒（表A-10，表A-11）・・・・・・・・・・・・・・・・・・・・・・・・・・・・・・・・・・・・・・・

　消毒には，消毒薬などを用いる化学的消毒法と，湿熱や紫外線を用いる物理的消毒法がある．

　熱による消毒法は，浸透力が強く確実な効果が得られること，残留毒性がないことから，耐熱性・耐水性がある器材の消毒には，熱水消毒が第一選択となる．

表A-10　**消毒の種類**

浸漬法	容器に消毒薬を入れ，器具などを完全に浸漬して薬液と接触させる
清拭法	消毒薬をしみこませて，環境などの表面を拭き取る
散布法	スプレー式の道具を用いて消毒薬を撒く
潅流法	チューブ・カテーテル・内視鏡など細い内腔構造を有している器具に消毒薬を潅流する

表A-11　**消毒の区分**

区分	特徴	一般名
高水準消毒薬	●多数の細菌芽胞を除くすべての微生物を殺滅する ●長時間の接触では心筋および芽胞などあらゆる微生物を殺滅することができる	グルタラール（グルタルアルデヒド）
		フタラール
		過酢酸製剤
中水準消毒薬	●結核菌，栄養型細菌，ほとんどのウイルスとほとんどの真菌を不活化する	次亜塩素酸ナトリウム
		ペルオキソ一硫酸水素カリウム
		消毒用エタノール
		ポビドンヨード
低水準消毒薬	●ほとんどの細菌，数種のウイルス，数種の真菌を死滅させることができるが，結核菌や細菌芽胞など抵抗性のある微生物の殺滅はできない	第四級アンモニウム
		クロルヘキシジングルコン酸塩
		両性界面活性剤

A
標準予防策

🔍 滅菌（表A-12，表A-13，表A-14）······································

器材の特性に合わせて，適切な滅菌方法を選択する（表A-12）．

表A-12　滅菌の種類

	手法適合			材質適合						形状適合	
	水・蒸気	熱	陰圧	紙製	布・繊維	硝子	ゴム	液体	木製	光学器械	管腔
高圧蒸気（AC）滅菌	●	●	●	△	○	△	△	×	×	×	
低温蒸気ホルムアルデヒド（LTSF）滅菌	●	×	●	○	×		△		×	○	○
過酸化水素ガス（プラズマ）滅菌	×	×	●	×	×	○	○	×	×	△	△※

※エチレンオキサイトガス（EOG）滅菌は，対応不可

表A-13　滅菌物の管理

運搬	●扉つき搬送カートや密閉容器で搬送する ●専用のカート等が準備できない場合は，可能な限り清潔状態を保ち，患者に直接みえないようにする ●搬送カート自体の整備・清潔保持のため熱水洗浄・消毒を行う
保管場所	●扉つきの棚で保管すること ●開放棚で保管する場合は，床から20〜25 cm（床面からの汚染防止），天井から45 cm（天井からの汚染防止），外壁から5 cm以上（結露による汚染防止）距離を置いて保管する
保管方法	●滅菌された鑷子などのパック類は，パッケージを破損しないように横置きにする ●縦置きしない．重ねて置かない ●有効期限の早いものから使用できるように「先入れ先出し」の原則を守れるように置く ●部門，部署の管理責任者は，定期的な清掃を実施し埃や汚染がないよう管理する ●管理者は定数管理を行い，定期的に定数を見直し，過不足のないようにする

表A-14　滅菌物の使用

使用前	●化学的インジケーターで滅菌されていることを確認する ●包装に破れ，ピンホール，水等による濡・汚染などの異常がないことを確認する ●滅菌有効期限内であることを確認する
使用時	●処置前後の手洗いと必要に応じたPPEを使用する ●滅菌物を開封した後や無菌操作中は，その周囲での会話を避ける．不要な動作はしない ●一度開封した器材等は未使用であっても滅菌物とみなさない ●滅菌物が開封前に床に落ちてしまったような場合も原則的に使用しない
使用後	●ベッドサイドに置いた滅菌器材は，開封していない未使用状態であっても保管棚へ戻さない ●SUD器材は，未使用であっても開封後は再滅菌できない ●再生処理が行える器材は，回収方法に応じた分別・対応を行う ●血液などの凝固を防ぐため，蛋白抗凝固薬を使用する ●鋭利物による切創などに注意して，廃棄物の分別を適切に行う

機材の処理方法（表A-15）・・・・・・・・・・・・・・・・・・・・・・・・・・・・・・

表A-15 **機材の処理方法**

	物品名			使用・処理方法
ME セ ン タ ー 管 理	人工呼吸器	本体	患者ごとに使用	明らかな汚染は清拭し，ME センターへ返却
		回路	SUD単回使用：破棄 定期的な交換は不要	リユース回路の場合は，1セット分揃えてビニール袋に入れ，本体とともにME センターへ返却
		回路部品	患者ごとに交換：再生 定期的な交換は不要	1セット分揃えてビニール袋に入れ，本体とともにME センターへ返却
	テストラング		患者ごとに使用：再生	明らかな汚染は部署で清拭した後にME センターへ返却（部署保有の場合は使用後，ビニール袋に入れ，回収用カートに載せ材料部へ依頼）
	超音波ネブライザー	本体	患者ごとに使用	使用中は，1日1回，清拭消毒を行う 1患者使用ごとにME センターへ返却
		蛇管 薬杯 ドーム	患者ごとに使用 毎日交換：再生	部品の種類ごとに仕分けてビニール袋に入れ，回収用カートに載せ材料部へ依頼 必要数の確保が困難な場合は，部署で手洗い洗浄後，次亜塩素酸ナトリウムに浸漬し，乾燥後，再使用する
救 急 カ ー ト	喉頭鏡	ハンドル	単回使用：再生	ビニール袋に入れ救急カートに載せ返却 部署保有の場合は使用後，清拭消毒し保管
		ブレード	単回使用：再生	ビニール袋に入れ救急カートに載せ返却 部署保有の場合は，使用後，回収コンテナ・カートに入れ材料部で消毒
	エアウェイ		SUD単回使用：破棄	（形状から洗浄が不十分となりやすく，単回使用が望ましい） 同一患者に使用する場合の交換用は，SPD（医療材料等物流管理）請求
	バイトブロック			
	アンビューバッグ		患者ごとに使用：再生	ビニール袋に入れ救急カートに載せ返却 部署で保有している場合は，使用後，ビニール袋に入れ，回収用カートに載せ材料部へ
	ジャクソンリース	SUD	患者ごとに使用：廃棄	使用後は破棄する
		リユース素材	患者ごとに使用：再生	ビニール袋に入れ救急カートに載せ返却 部署で保有している場合は，1セット揃えてビニール袋に入れ，回収用カートに載せ材料部へ
	フェイスマスク（ジャクソンリース・アンビューバッグ用）		患者ごとに使用：再生	ビニール袋に入れ救急カートに載せ返却 部署で保有している場合は，ビニール袋に入れ，回収用カートに載せ材料部へ
感 染 症 患 者 に 使 用	クロイツフェルト・ヤコブ病（CJD）	鋼製器材	SUD単回使用：破棄	
			再生器材：再生	未使用器材に触れることなく，ビニール袋に入れ，回収用カートに載せ材料部へ（ビニール袋にCJDと記載）
		手術器械	患者ごとに使用：再生	手術器械は他の手術・患者器械と分けて材料部へ 高温洗浄もしくは浸漬・滅菌ができない器械は，廃棄
		手術材料等	SUD・再生器材：廃棄	高温洗浄もしくは浸漬・滅菌ができない器材は，廃棄
	SARS・MERS 新型インフルエンザ等	鋼製器材	SUD単回使用：破棄	
			再生器材：再生	ビニール袋に入れ，回収用カートに載せ材料部へ〔ビニール袋に●●（感染症名）を記載する〕 手術器械は他の手術・患者器械と分けて材料部へ
		リユース素材	単回使用：再生	材料部に指示された方法で回収用カートに載せ材料部へ
		手術材料等	患者ごとに使用：再生	他の手術・患者材料と完全に分けて材料部へ

病院環境整備と清掃，ゾーニング

目的と留意点	●感染予防対策の目的から，環境表面の汚染により手指や器具を介して周囲へ拡大することを防止する
	●目的(区域)に合わせてゾーニングを設定し，患者や利用者にとって衛生的で安全な環境を提供するために整備する ※清潔区域(薬剤調整区域など)，生活区域(病室・食堂など)，汚染区域(トイレ・汚物処理室など)に区分けして，清掃方法を考慮し実施する
	●清掃は洗浄と清拭により汚染の除去を目的とする
	●高頻度接触面(ドアノブ・手すり・ベッド柵・オーバーテーブル・ナースコール・スイッチ・PCキーボードなど)の清掃は，委託業者や各部門での清掃方法・実施者を定めて実施する
	●感染症患者が発生した場合は，「**D 病原体別対応**」などを参考に必要に応じて清掃と消毒を実施する
	●清掃に使用した器具は汚染しているため，器具や用具入れの清掃を定期的(1日1回など)に行う

▶ 院内清掃の基準(表A-16)

表A-16　院内清掃の基準

日常清掃 (毎日行う清掃)	●清掃の原則として，洗浄と清拭を実施する(標準的に消毒薬を用いる必要はない) ●高頻度接触面は1日1回以上清掃を行い，必要に応じて消毒薬を用いて消毒を行う ●床の清掃は，洗浄剤を用いた湿式清掃を行う ●手洗いシンクは，1日1回は清掃業者が清掃する ●作業シンク(ステンレス製)などは各部署で職員が清掃を行う(スポンジは使用せず，ディスポガーゼ等使用ごとに破棄できるものを使用する) ●浴室は，使用前に1日1回は中性洗剤で洗浄し，乾燥させる ●トイレの便器は1日1回以上，洗剤で洗浄する．便座・水洗レバー・ドアノブ等の高頻度接触面を消毒する場合は環境清掃用ウェットクロスを用いて実施する ●汚物処理室は，1日1回程度，清掃を行う
定期清掃 (ワックス清掃や 空調清掃など)	●ワックス清掃は，担当部署に依頼し年数回実施する ●換気口，空調清掃は業者が年2回実施する ●カーテンの洗濯(目安：病棟3〜4回/年，外来1〜2回/年，または汚れた場合)は適宜院内洗濯場へ依頼する
緊急清掃 (血液等により， 環境が汚染され た場合に行う)	●血液等の汚染物は，まずはディスポガーゼなどで取り除く ●洗剤で洗い流す(除染) ●0.05〜0.5%に希釈した次亜塩素酸ナトリウムをガーゼに浸し，5〜10分間覆い消毒する ●最後に水拭きを行う

※当院では，環境表面の清掃は外部業者に委託しており，当院が作成した「建物清掃業務仕様書」「清掃方法ガイドライン」や，清掃業者が作成している「病院清掃標準作業書」「病院清掃標準作業マニュアル」に準じて実施している

▶ ゾーニング

厳重な感染対策を実施する場合，多職種で区域（ゾーン）を理解するため以下のように定義する．

①感染性エリア（赤）：「患者診療，患者療養エリア」（例：患者の病室など）
②準感染性エリア（黄）：「防護具の着脱エリア」
③清潔エリア（緑）：「非患者エリア」（例：職員エリアや共有廊下など）

▶ シンクの使い分け

一般病棟では，経管栄養剤の準備で使用するエリアのシンク（清潔エリア；図A-14）や患者に使用した物品を洗浄するためのシンク（汚染エリア；図A-15）など様々な用途にあわせて使用している．交差感染の防止の観点や多職種にわかりやすくするためシンクの使い分けを行う．

図A-14　清潔エリア

図A-15　汚染エリア

🥄 リネン類の管理(表A-17) ∙∙

目的	●リネン類は清潔に保管・管理し，汚染を防ぐ ●リネン類を介して感染の伝播を起こさない

表A-17 当院のリネン類の管理方法

	基本的な考え方	保管・取り扱い方法
使用前 リネン類	洗濯されたリネン類への，環境菌による汚染が最小限となるよう取り扱う	●洗濯されたリネンは，専用のカートで運搬する ●リネンは，リネン専用の扉つき収納庫で清潔な状態で保管する ●タオル(清拭タオル)は専用の扉つき収納庫で清潔な状態で保管する ●看護用品(体位変換用枕・ミトンなど)は，扉つき収納庫で清潔な状態で保管する 　※洗濯が可能な用品の使用を推奨する ●湿潤状態で保温するタオルは，細菌感染の温床となりやすいため使用しない
使用済み リネン類	感染症の有無にかかわらず，患者に使用したリネン類は汚染されている(血液や体液，微生物など)と考え，取り扱う	●感染性リネン類を取り扱うときは，手袋・プラスチック(ビニール)エプロンを着用する ●静かに取り扱い，埃などを巻き上げない ●抱えず，無造作に台の上や床に置かない(作業者の衣服や台の上や床にリネンからの汚れを付着させない．また，床の汚れをリネンに付着させない) ●針や刃物などの危険物が混入していないかを確認する．患者の私物の紛失にも注意する ●「当院の使用済みリネン類の分別と回収方法」(表A-18)に従って分別し，洗濯に出す ●使用済みリネン類は専用のカートで運搬する

🔍 使用済みリネン類の分別・回収方法(表A-18) ·

表A-18　当院の使用済みリネンの分別と回収方法

<table>
<tr><td rowspan="8">感染性リネン</td><td rowspan="5">水溶性ランドリーバッグに入れるもの

・感染症の有無にかかわらず，血液・体液・排泄物で汚染されたリネン
・疥癬・流行性角結膜炎・ICTが適宜指示した特殊な病原菌などの患者に使用したリネン</td><td rowspan="4">患者用寝具</td><td rowspan="4">水溶性ランドリーバッグに入れ，感染性リネン専用バッグ（例：オレンジ色のリネンバッグ）に入れる</td><td>布団</td><td>カバーを外し，布団本体のみ入れる</td></tr>
<tr><td>枕</td><td>カバーを外し，枕本体のみ入れる</td></tr>
<tr><td>ベッドパッド</td><td>単品で入れる</td></tr>
<tr><td>シーツ・タオルケット，枕カバー・布団カバー</td><td>一緒に入れてよいが，80%以上は詰め込まない</td></tr>
<tr><td>病衣</td><td>病衣</td><td>単品で入れる</td></tr>
<tr><td colspan="2">清拭タオル</td><td>ビニール袋に入れ「感染」とマジックで大きく記載し，使用済み清拭タオル回収容器に入れる</td></tr>
<tr><td colspan="2">タオル・バスタオル
保育器・コット用シーツ
足拭きマット
体位変換用枕・ミトンなどの看護用品</td><td>水溶性ランドリーバッグに入れ，指定された専用回収容器に入れるか，所定の場所に置く
（看護用品はカバーのついているものは，カバーを外しておく）</td></tr>
<tr><td colspan="2">医療従事者の白衣・術衣</td><td>物理的に落とせる汚れは落とし，水溶性ランドリーバッグに入れ，専用回収容器に入れる</td></tr>
<tr><td rowspan="5">一般リネン</td><td rowspan="5">感染性リネン以外

MRSA等感染症患者に使用されたリネンであっても血液・体液に汚染されないときは一般用扱いとする</td><td>患者用寝具</td><td>布団・枕・シーツ・ベッドパッド・タオルケット</td><td colspan="2">コンパクトにまとめ，リネンバッグ（例：白色のリネンバッグ）に入れる
（布団・枕のカバーは外す）</td></tr>
<tr><td colspan="2">病衣</td><td colspan="2">使用済み病衣入れ（例：緑のリネンバッグ）に入れる</td></tr>
<tr><td colspan="2">清拭タオル</td><td colspan="2">使用済み清拭タオル回収容器に入れる</td></tr>
<tr><td colspan="2">タオル・バスタオル
保育器・コット用シーツ
足拭きマット
体位変換用枕・ミトンなどの看護用品</td><td colspan="2">指定された場所の専用容器に入れるか，所定の場所に置く
（看護用品はカバーのついているものは，カバーを外しておく）</td></tr>
<tr><td colspan="2">医療従事者の白衣・術衣</td><td colspan="2">指定された場所の専用回収容器に入れる</td></tr>
</table>

※濡れたものが直接水溶性ランドリーバッグに触れないように，濡れたリネン類は乾いたリネンで包んで入れる
※洗濯物などの集配業務はメッセンジャーが行う
※特殊な病原菌が検出された場合は，ICTに問い合わせる

🔍 清拭タオルの取り扱い・・

清拭はディスポタオルを使用する.

▶ 使用前の清拭タオルの保管

①使用前の清拭タオルは，汚染を受けないよう扉つきの収納庫で保管する.
②扉つきの収納庫は，清拭タオルの出し入れを行う際に，清拭タオルが床に直接触れない場所に設置する.

▶ 補充時・取り出し時の注意点

①効果的な加温を行うため，清拭タオルを詰めすぎない.
②1度取り出したタオルは再度タオルウォーマー内に戻さない.
③タオルウォーマーには1日で使い切れる量のタオルを入れ，使いきれなかったタオルは破棄する.
④熱傷に注意する.

▶ 清拭タオル使用時の注意点

患者の熱傷に注意する(ビニール袋に入った熱いタオルの塊で，熱傷をきたした事例報告あり).

▶ 保温バッグの取り扱い

①保温バッグには清潔なタオルのみを入れる.
②保温バッグは毎回使用後に清拭清掃し乾燥させる.

▶ タオルウォーマーの清掃，管理(図A-16)

①毎日1回以上は庫内を空にして清拭する.
②水受けは毎日1回中性洗剤で洗浄し，乾燥させる.
③清拭後は庫内が乾燥したことを確認してから使用する.
④管理は各部署で行い，故障等は各部署から行うこと.

タオルウォーマー管理チェック表

部署名　＿＿＿＿＿＿＿＿＿＿＿＿＿

年　　月
【タオルウォーマーの清掃は1日1回実施する】

※実施者は日付の欄にサインをする

1日	2日	3日	4日	5日	6日	7日
8日	9日	10日	11日	12日	13日	14日
15日	16日	17日	18日	19日	20日	21日
22日	23日	24日	25日	26日	27日	28日
29日	30日	31日				

管理者：看護師長　印

図A-16　タオルウォーマー管理チェック表

ベッド，マットレス，車いす，ストレッチャーの衛生管理

目的	●患者の病原微生物や体液など，付着しているものを感染性が失われるように清掃・消毒する ●効果的な清掃・洗浄・消毒を実施し，交差感染の伝播を遮断する（表A-19，図A-17）

表A-19 器具ごとの衛生管理方法

物品	衛生管理方法
ベッド	●退院時やそのほか，汚染が激しい場合は適宜ベッド洗浄をする ●ベッド洗浄できない場合は部署のスタッフが清掃し，環境清掃用ウェットクロスにて消毒する
マットレス	●定期的に洗浄する場合はベッド洗浄と同様に洗浄する ●感染症の患者や血液・体液の汚染が激しいとき，疥癬患者の退院後は適宜洗浄を実施する ●表面がラバーコーティングなど撥水性のものは水拭きをした後に環境清掃用ウェットクロスなどで清拭する
車いす	●1日1回，または患者ごとに環境清掃用ウェットクロスで清拭清掃・消毒を実施する ●多剤耐性菌（MDRP，MDRAB，VREなど）の検出されている患者が使用した後は毎回，清掃と消毒を実施する ●洗浄できるタイプ：汚染が激しい場合は，血液・体液の一時処理後ベッドセンターで洗浄できるか確認する（できないタイプもある）
ストレッチャー（バストロリー）	●1日1回，または患者ごとに環境清掃用ウェットクロスで清拭清掃を実施する ●多剤耐性菌（MDRP，MDRAB，VREなど）の検出されている患者が使用した後は毎回，清掃と消毒を実施する ●ストレッチャー（洗浄できるタイプ）は汚染が激しい場合，血液・体液の一時処理後ベッドセンターで洗浄できるか確認する ●バストロリーは熱水＋洗浄剤で洗浄し，乾燥させる．感染対策が必要な患者の使用は使用者リストの最後に実施する

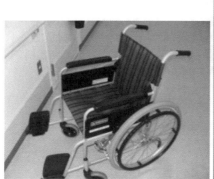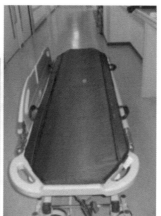

図A-17 車いす，ストレッチャー
患者や医療従事者が触れる面は清掃する．洗浄できるタイプは洗浄する

🔍 空調管理 ···

　各部署では，各室の用途を踏まえ，患者の病状・治療に応じた患者配置を行うとともに，適切な空調管理を行う(表A-20)．当院では，日本医療福祉設備協会『病院設備設計ガイドライン(空調設備編)HEAS-02-2022』の「清浄度クラスと換気条件(代表例)」(表A-21)に準じて設備設計がされ，全館空調を行っている．

▶ HEPAフィルター

　HEPA(high efficiency particulate air)フィルターとは，JIS規格にて「定格風量で粒径が0.3 μmの粒子に対して99.97%以上の粒子捕集率を有しており，かつ初期圧力損失が245 Pa以下の性能を持つエアフィルター」と規定されている超高性能フィルターのことを指す．HEPAフィルターは，塵埃の蓄積とともに圧力損失が上昇し処理風量が減少するため，当院では以下の間隔でのフィルター交換を計画する．
- ●HEPAフィルター交換頻度
　各病棟，ユニット部門：5年ごとに交換
　中央診療棟，手術部：10年ごとに交換

▶ 換気回数

　送気風量と排気風量から1部屋あたりの容積が1時間あたり換気される回数を算出した全風量を指す．

表A-20　当院の空調管理実施例

配置病床	清浄度クラス	名称	適用	室内圧	換気回数(時)当院
手術室(陰圧室)	Ⅴ	汚染管理区域	感染性物質が発生する室で，室外への漏出防止が要求される区域	陰圧	70回
手術室(一般)	Ⅱ	清潔区域	必ずしも層流方式ではなくてもよいがⅠに次いで高度な清浄度が要求される区域	陽圧	70回
透析室	Ⅴ	汚染管理区域	感染性物質が発生する室で，室外への漏出防止が要求される区域	陰圧	12回
ICU/GCU(陰圧室)	Ⅴ	汚染管理区域	感染性物質が発生する室で，室外への漏出防止が要求される区域	陰圧	12回
ICU/NICU/MFICU等(一般)	Ⅲ	準清潔区域	Ⅱよりもやや清浄度を下げてもよいが，一般区域よりも高度な清浄度が要求される区域	陽圧	6回
一般病棟(陰圧室)	Ⅴ	汚染管理区域	感染性物質が発生する室で，室外への漏出防止が要求される区域	陰圧	5回
一般病棟(一般)	Ⅳ	一般清潔区域	一般的な区域	等圧	4回
外来(診察室)	Ⅳ	一般清潔区域	一般的な区域	等圧	3回
内視鏡室	Ⅳ	一般清潔区域	一般的な区域	等圧	4回
CT室	Ⅳ	一般清潔区域	一般的な区域	等圧	2.5回

表A-21　**清浄度クラスと換気条件**

清浄度クラス	名称	摘要	該当室（代表例）	最小換気回数[*1]（回/時）		室内圧（P：陽圧）（N：陰圧）
				外気量[*2]	全風量[*3]	
Ⅰ	高度清潔区域	層流方式による高度な清浄度が要求される区域	バイオクリーン手術室	5	－	P
Ⅱ	清潔区域	必ずしも層流方式でなくてもよいが，Ⅰに次いで高度な清浄度が要求される区域	一般手術室	3	15	P
			易感染患者用病室	2	15	P
Ⅲ	準清潔区域	Ⅱよりもやや清浄度を下げてもよいが，一般区域よりも高度な清浄度が要求される区域	血管造影室	3	15	P
			手術ホール	2	6	P
			集中治療室（ICU・NICU・HCUなど）	2	6	P
			分娩室	2	6	P
			組み立て・セット室	2	6	P
Ⅳ	一般清潔区域	原則として開創状態でない患者が在室する一般的な区域	一般病室・新生児室	2	NR	NR
			人工透析室	2	NR	NR
			診察室	2	NR	NR
			救急外来(処置・診察)	2	NR	NR
			待合室	2	NR	NR
			X線撮影室	2	NR	NR
			内視鏡室(消化器)	2	NR	NR
			理学療法室	2	NR	NR
			一般検査室	2	NR	NR
			既滅菌室	2	NR	NR
			調剤室・製剤室	2	NR	NR
Ⅴ	汚染管理区域	有害物質を扱ったり，感染性物質が発生する室で，室外への漏出防止のため，陰圧を維持する区域	空気汚染隔離診察室	2	12	N
			空気感染隔離室(陰圧個室)	2	12	N
			内視鏡室(気管支)	2	12	N
			細菌検査室	2	6	N
			仕分け・洗浄室	2	6	N
			RI管理区域所室	2	6	N
			病理検査室	2	12（全排気）	N
			解剖室	2	12（全排気）	N
	拡散防止区域	不快な臭気や粉塵などが発生する室で，室外への拡散を防止するため陰圧を維持する区域	患者用便所	NR	10	N
			使用済みリネン室	NR	10	N
			汚物処理室	NR	10	N
			霊安室	NR	10	N

NR：要求なし(No requirement) 各施設の状況より決定する

*1：換気効率を考慮し，他の方式により同等の性能が満足される場合はこの限りではない

*2：換気回数と1人あたりの外気取り入れ量(30 m^3/h)を比較し，大きい値を採用する

*3：外気量と循環空気量の和，室内圧が陰圧の場合は排気量と循環気量の和

(日本医療福祉設備協会：病院設備設計ガイドライン(空調設備編) HEAS-02-2022より引用・改変)

咳エチケットとユニバーサルマスキング

　咳エチケットとは，咳やくしゃみをすることにより飛散する呼吸器分泌物を封じ込めるためにマスクを装着する行為である．また，ユニバーサルマスキングとは，感染症の流行状況に合わせ，症状の有無にかかわらず，すべての者がマスクを付けることである．

▶ 咳エチケット

　症状のある者がマスクを装着すること．
　呼吸器感染の徴候や症状がある者は，下記の方法を実施する．
①呼吸器感染の徴候や症状（咳・くしゃみ・咽頭痛など）があるときはマスクの装着をしてもらう．
②マスクがない場合はティッシュペーパーなどで口と鼻を覆い，顔を他者には向けないように咳やくしゃみを行う．
③鼻汁・痰などを含んだティッシュペーパーは，速やかにフタつきのゴミ箱に捨てる．
④咳・くしゃみをおさえた手・鼻をかんだ後は直ちに手指衛生を行う．
⑤サージカルマスクの使用を推奨する（ウレタンマスク・ガーゼマスクでもよいが汚れたら交換すること）．
⑥可能であれば，呼吸器感染のある者から空間的距離（約1～2ｍ以上）をとる．

▶ ユニバーサルマスキング

　症状の有無にかかわらずマスクを装着すること．
　病院を利用するすべての者は院内においてサージカルマスクを着用する．
①感染症の流行状況に応じて病院の方針として求める場合に実施する．
②患者や面会者等においては院内の掲示物，ホームページなどを活用し周知し，実施を求める（図A-18）．
③職員等へ病院の方針を周知し実施する．

図A-18　ユニバーサルマスキング周知ポスター

B 職業感染対策

─── résumé ───

1 職業感染と予防対策
2 針刺し・切創，皮膚・粘膜曝露直後の対応
3 針刺し・切創，皮膚・粘膜曝露のフォロー基準
4 針刺し外来
5 職員の抗体検査と予防接種

Point

- 針刺し・切創，皮膚・粘膜に曝露した医療従事者が，慌てていても対応がわかりやすいように，フローチャートもあるとよいでしょう．
- 抗体検査説明文書・同意書を添付しておくと，緊急時に対応しやすくなります．
- 職員の抗体測定結果・ワクチン接種日を記載した抗体価カードは各人に携帯してもらうと大変有用です．

1 職業感染と予防対策

　病院職員や派遣職員，外部委託業者等(以下，職員)が業務中に様々な感染症に罹患した場合を「職業感染」という．職員は日常的に鋭利な器材に接するため，針刺し・切創，皮膚・粘膜曝露のリスクが高い．また，院内では伝染性の強いウイルス等に曝露する機会も多く，職員が発症すると，その職員が感染源となり他者への感染を及ぼす可能性が高い．職員は，このような危険性を認識して自己の健康管理を行う必要があり，体調不良や針刺し・切創，皮膚・粘膜曝露(疑い含む)が発生した場合は，速やかに報告・受診し対策を講じる．

▶ 針刺し・切創，皮膚・粘膜曝露対策

　血液に汚染された鋭利器材による針刺し・切創や，飛散した血液・体液が目に入るなどの曝露により，HBV，HCV，HIVなどのウイルス感染をきたす恐れがあるため対策を徹底する必要がある．各人が個人防護具の使用や安全器材の使用など，個々の使用手順や部門で決められたルール等を遵守し曝露防止に努めるとともに，手順やルールの妥当性や物品管理など組織として取り組み，発生を防止する．

▶ 予防対策

1) 使用した針はリキャップせず，医療廃棄物容器に廃棄する．
　a) 採血や血糖測定など，ベッドサイドで針を使用する場合は，針捨てボックスを携帯する．
　b) やむを得ずリキャップする場合は"すくい上げ法"など，針刺防止に留意した方法で行う．
2) 安全装置つきの器材を用い，使用する際は使用方法を熟知してから使用する．
3) 発生時は，針刺し・切創，皮膚・粘膜曝露直後の行動フローチャートに準じて対応する．

2 針刺し・切創，皮膚・粘膜曝露直後の対応

針刺しなどの報告は，感染症情報が陰性または針などが患者に未使用の場合でも報告する（図B-1）.

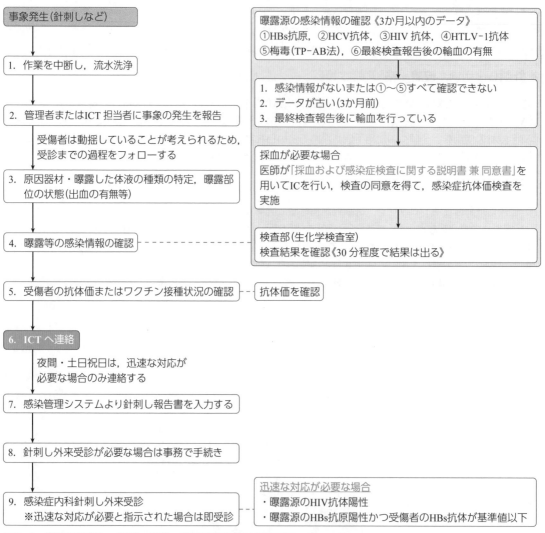

図B-1 当院の針刺し・切創，皮膚・粘膜曝露直後の行動フローチャート

▶ 曝露直後の対応

1）患者に事情を説明し，医療行為を中断できる安全な場面で医療行為を中止または業務を委託する．

2）直ちに流水と石けんで十分洗浄する．傷口から血液を絞り出す必要はない．

3）管理者（上司・リーダーなど）またはICTリンクスタッフに事象の報告をする．
　　※受傷者は動揺していることが考えられるため，管理者等は受診までの過程をフォローする．

4）原因器材・曝露した体液の種類の特定，受傷者の曝露部位の状態（出血の有無等）を確認する．

5）曝露源の患者の氏名・ID番号・感染に関する情報［HBs抗原，HCV抗体，HIV抗体，TP-AB法（梅毒），
　　HTLV-1抗体］と最終検査日，輸血歴などを確認する．

6）受傷の原因となった患者の感染情報がわからない場合またはデータが古い場合（3か月以内のデータが必要）
　　は，患者の主治医等がインフォームド・コンセント（IC）を取ったうえで（図B-2），感染情報の検査を行う．

7）受傷者のHBV抗体価またはワクチン接種状況について確認する．
　　※抗体価やワクチン接種の情報は個人情報であるため，抗体価カードで受傷者自身が確認する．受傷者自
　　　身の確認が困難な場合は，管理者が事務に問い合わせる．

8）ICTへ曝露報告を行い，迅速対応の有無および初回受診の確認を行う．
　　※夜間・土日祝日は，電話交換よりオンコールに転送される．

9）電子カルテ内の感染管理システムより針刺し報告書を入力する．入力ができない場合は，事務で紙面記載
　　を行う．

採血および感染症検査に関する説明書 兼 同意書

　患者様の血液（その他の体液）の付着した針が，誤って職員に刺してしまう事象が発生しました．職員への感染予防と病院感染対策・医療事故防止のため，患者様の血液検査を行わせてください．ご協力くださいますよう，お願い致します．

　　　　【検査方法】
　　　　　　●末梢静脈より採血します．
　　　　　　●検査項目：
　　　　　　　　　　　HBs抗原，HCV抗体（肝炎関連），HIV抗体（エイズ），
　　　　　　　　　　　梅毒TP抗体，HTLV-1（白血病ウイルス）
　　　　　　●検査結果については，希望があればお知らせいたします．

　　　　　　　　　□　希望する　　　□　希望しない

　　　　【検査による危険性と合併症】
　　　　　　●採血時の疼痛のみです．多少，穿刺局所が腫れる場合があります．
　　　　【検査に係る費用】
　　　　　　●病院負担で実施します．

　上記内容について，文書と口頭によって説明を受け，その目的と必要性，危険性，可能性のある合併症について十分理解し，検査を受けることに同意します．

　　　　　　　　　　　　　　　　　　　　　　　西暦　　　年　　月　　日

　　　　患者番号：＿＿＿＿＿＿＿

　　　　患者氏名：＿＿＿＿＿＿　患者氏名（署名）：＿＿＿＿＿＿＿＿

　　　　患者代理人氏名（自署）：＿＿＿＿＿＿＿＿＿＿＿＿＿＿

　　　　説明医師（自署）：＿＿＿＿＿＿＿＿＿＿＿＿＿＿＿

　　　　立ち会い医師・看護師（自署）：＿＿＿＿＿＿＿＿＿＿

　　　　　　　　　　　　　　　　　　　　　　千葉大学医学部附属病院

図B-2　採血および感染症検査に関する説明書 兼 同意書

③ 針刺し・切創，皮膚・粘膜曝露のフォロー基準

▶針刺し・切創，皮膚・粘膜曝露による感染発生確率（表B-1）

表B-1　感染発生確率

HBV（B型肝炎ウイルス）	30%
HIV（ヒト免疫不全ウイルス）	0.3%
HCV（C型肝炎ウイルス）	3%
HTLV-1（成人T細胞性白血病：ATL）	3%

▶迅速対応および経過観察が必要な感染症（図B-3，図B-4）

1）HBV

  a）HBVは血液媒介ウイルスのなかでも特に感染力が強い．

  b）HBs抗原陽性の血液や体液などに曝露し，受傷者のHBs抗体・HBs抗原のいずれもが陰性の場合，曝露後予防策として，発生後48時間以内に抗HBsヒト免疫グロブリンの投与およびHBVワクチン（必要時）の追加接種を行う．

  c）受傷者のHBs抗体が陽性の場合は迅速対応の必要ない．

  d）受傷者は感染症内科針刺し外来で5回（①受傷時，②1か月後，③3か月後，④6か月後，⑤12か月後）のフォローを行う．

2）HIV

  a）1回の針刺し・切創でHIV感染が成立する頻度は低いが，速やかにICT医師に連絡し曝露後予防策を相談する．

  b）曝露源の治療状況などを鑑みHIV感染の危険性が高いとされた場合は，抗HIV薬を速やかに（目安2時間以内）内服することが望ましく，その適応についてはICTの医師と相談する．

  c）曝露後予防策として初回の抗HIV薬は，エムトリシタビン・テノホビル・ジソプロキシフマル酸塩配合錠1錠1日1回＋ラルテグラビルカリウム錠400 mg 1錠1日2回とする．

    ※夜間・土日祝日はICTのオンコール当番医師の指示に従い，薬剤部に連絡し処方を受ける．

  d）受傷者は感染症内科針刺し外来で5回（①受傷時，②1か月後，③3か月後，④6か月後，⑤12か月後）のフォローを行う．

▶経過観察が必要な感染症

1）HCV

  a）現在のところHCV曝露後に有効な感染予防薬はないため，標準予防策の遵守が一番の予防であり，受傷してしまった場合は直ちに曝露部位の流水による洗浄を行う．

  b）受傷者は感染症内科針刺し外来で5回（①受傷時，②1か月後，③3か月後，④6か月後，⑤12か月後）のフォローを行い，HCV-RNAが陽転化した場合は，抗ウイルス治療を考慮する．

2）HTLV-1

  a）現在のところHTLV-1陽性血液による針刺し等の際の予防投薬の指針はないため，標準予防策の遵守が一番の予防であり，受傷してしまった場合は直ちに曝露部位の流水による洗浄を行う．

  b）受傷者は感染症内科針刺し外来で5回（①受傷時，②1か月後，③3か月後，④6か月後，⑤12か月後）のフォローを行う．

3）梅毒

a）梅毒血清反応陽性血液・体液による針刺し等により感染が成立する可能性は極めて低い.

b）受傷者は感染症内科針刺し外来で5回（①受傷時, ②1か月後, ③3か月後, ④6か月後, ⑤12か月後）の
　フォローを行う.

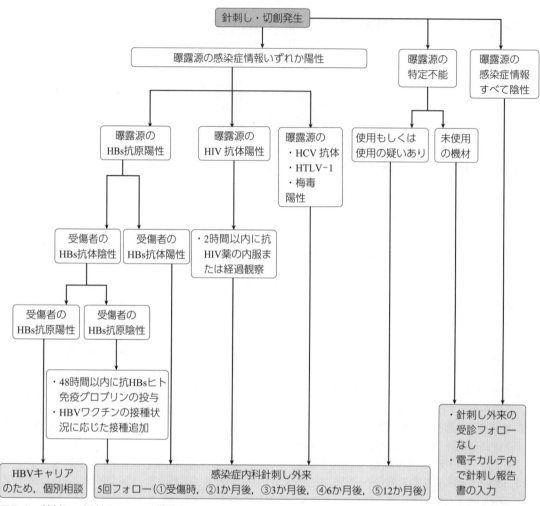

図B-3　**針刺し・切創のフォロー基準フローチャート**

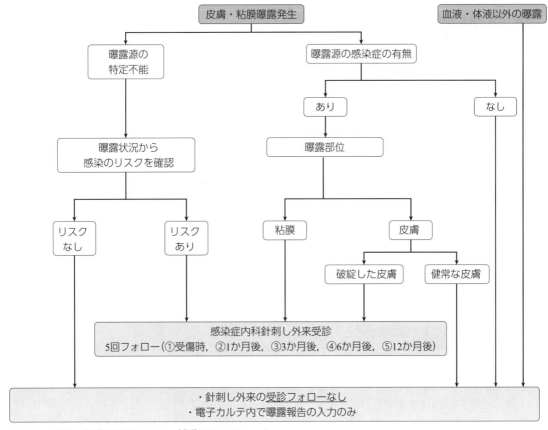

図B-4　**皮膚・粘膜曝露のフォロー基準フローチャート**

4 針刺し外来

▶ 針刺し外来受診の流れ

1）ICTに針刺し・切創，皮膚・粘膜曝露報告をした際に，受診日を確認する．

電子カルテ内の感染管理システムより針刺し報告書を入力する．

※ICTに報告した際，「報告書の記載のみ」を指示された場合は，外来受診はせず終了となる．

2）担当事務へ行き，「針刺し・切創，皮膚・粘膜曝露報告書」(図B-5)を記載する．

※受傷者の受診カードがあれば持参する．

3）担当事務の案内で針刺し外来を受診する．

▶ 針刺後の費用負担(図B-6)

1）検査や発症予防投薬にかかわる職員の診療費用は病院が負担する．

※本人は必要に応じて担当事務にて労働災害補償手続を行う．

2）委託業者(清掃業者など)が受傷した場合は，迅速な対応と必要な処置は病院が行う．費用負担に関しては受傷後1回目の受診費用は病院負担とする．

3）実習生・研修生が受傷した場合は，迅速な対応と必要な処置は病院が行う．ただし，費用は個人(または災害補償保険)負担とする．

4）そのほか，病院職員以外でも各個人の責任ではない事象と，ICTと担当事務が確認した場合は，病院職員と同じく病院で費用を負担する．

針刺し・切創，皮膚・粘膜曝露報告書

西暦　　　年　　月　　日

受傷人（又は代理人）：＿＿＿＿＿＿＿＿　所属＿＿＿＿＿＿＿　職名＿＿＿＿＿
生年月日：西暦　　　年　　月　　日　　連絡先：（内線またはPHS）＿＿＿＿＿＿
受傷者のカルテID：＿＿＿＿－＿＿－＿＿＿

発生時間　：　西暦　　　年　　月　　日　　午前・午後　　時　　分
発生場所　：＿＿＿＿＿＿＿＿＿＿＿＿＿＿＿＿＿＿＿
報告時間　：　西暦　　　年　　月　　日　　午前・午後　　時　　分
発生の状況（何をしているときに，何で，どのように，どこを受傷したか等，具体的に）

曝露源となる患者データ

	□特定できない時チェック		検査結果	採血日
ID		HBs抗原	□陰性　□陽性　□未検	． ．
氏名		HBe抗原	□陰性　□陽性　□未検	． ．
生年月日		HCV抗体	□陰性　□陽性　□未検	． ．
性別	□ 男　　□ 女	HIV抗体	□陰性　□陽性　□未検	． ．
診療科		HTLV-I抗体	□陰性　□陽性　□未検	． ．
入院・外来	□ 入院　　□ 外来	梅毒TP抗体（TP-AB）	□陰性　□陽性　□未検	． ．
輸血歴（▲）	□ あり　　□ なし	（＊）HBs抗原陽性時には測定することが望ましい．		
▲最終検査結果から受傷までの輸血歴です．				

□　エピネットの必要項目を記入

以下　診療担当医師記入
担当医氏名：＿＿＿＿＿＿＿＿＿＿＿＿＿＿
診療時間　：　西暦　　　年　　月　　日　　午前・午後　　時　　分
発生後の対応　　　□採血（AST，ALT，HBs抗原，HCV抗体，HIV抗体，HTLV-I抗体，梅毒TP抗体）
　　　　　　　　　□ワクチン　□抗HBグロブリン製剤　□予防内服
業務について　　　□通常業務可，または，□＿＿＿＿＿＿＿＿＿＿＿＿＿＿＿
今後の受診予定　　□1か月後　□3か月後　□6か月後　□12か月後

検査結果	HBs抗原（　）　HCV抗体（　）　HIV抗体（　）　HTLV-I抗体（　）　梅毒TP抗体（　）
	検査日：西暦　　　年　　月　　日　　検査部担当者　　　　　　　　印

| 担当事務へ提出 |

千葉大学医学部附属病院

図B-5　**針刺し・切創，皮膚・粘膜曝露報告書**

受傷者が定期的に受診し，採血検査を受けることへの
説明書 兼 同意書

　今回の針刺し・切創，皮膚・粘膜曝露(以下，針刺しと記載)が起こりました．血液・体液を介する感染対策として，受傷者の健康管理と健康被害は発生した場合の早期対応・保障のため，血液検査を定期的に実施することが必要です．受診・採血時期，採血項目は以下の通りです．また，再発防止と針刺し状況を正確に把握するために別紙(エピネット・日本版)に詳細に記入していただきます．

【検査方法】
　　□　採血時期　本日・1か月後・3か月後・6か月後・12か月後(○で囲む)
　　□　中央採血室にて採血をします．
　　□　おもな検査項目　GOT，GPT，HBs抗原，HBs抗体，HCV抗体，HIV抗体，
　　　　　　　　　　　　梅毒TP抗体，HTLV-1抗体
　　　　　　　　　　　　(HBs抗体は原因患者がB型肝炎抗原陽性または不明時)
【検査による危険と合併症】
　　□　危険は採血時の疼痛のみです．多少，穿刺局所が腫れる場合があります．
【検査にかかる費用】
　　□　《　　職　員　　》　全て病院負担で実施します．
　　□　《　外部委託者　》　初回のみ病院で負担します．
　　□　《学生・その他》　本人負担となります．
　　□　《　　その他　　》　ICTおよび担当事務が各個人の責任でないと認めた場合は，病院で負担

＊検査フォロー中に本件に関する検査を他院で行う場合は，労災申請を行うため予め担当事務に相談してください．

上記内容について，文書と口頭によって説明を受け，その目的と必要性などについて十分理解し，診療・検査を受けることに同意します．

　　　　　　　　　　　　　　　　　　　　　　　　　　西暦　　　　年　　月　　日

受傷者氏名(署名)_____

受傷者のカルテID番号_____

説明医師_____

　　　　　　　　　　　　　　　　　　　　　　　　　　　　千葉大学医学部附属病院

図B-6　**受傷者が定期的に受診し，採血検査を受けることへの説明書　兼　同意書**

5 職員の抗体検査と予防接種

▷ 目的

　職員の健康保持と，職員から周囲の患者への感染防止の目的で，下記の検査およびワクチン接種を実施する．また，業務開始前，業務中に体調不良がある場合は，業務を行わず受診や検査等適切な処置を行う．院内感染を防止する観点から，患者や職員等へ感染を伝播させる可能性もあることを考慮し健康チェックや抗体検査，ワクチン接種を行う．

▷ 予防接種および対象者

　当院に勤務する職員で，下記の条件の該当者（表B-2）．

表B-2　**予防接種対象者**

対象疾患	内容	対象者
B型肝炎	抗体検査 ワクチン接種	当院に勤務する職員，外部委託業者
麻疹・風疹・水痘・流行性耳下腺炎	抗体検査 ワクチン接種	当院に勤務する職員，外部委託業者
結核	IGRA検査	新入職者および結核診療にかかわる職員，接触者健診（保健所からの指示）
インフルエンザ	ワクチン接種	当院に勤務する職員，外部委託業者
新型コロナウイルス	ワクチン接種	当院に勤務する職員，外部委託業者

▷ 抗体検査およびワクチン接種の実施機会

1）入職者および病院が必要と判断する職員は抗体価の測定を行う．職員は病院負担，委託業者は各自負担．
2）集団抗体検査および集団ワクチン接種の機会を設ける．
3）B型肝炎ワクチンを当院で接種した後は抗体価の確認のため検査を年1回行う（2シリーズまで）．
4）結核検査は結核診療にかかわる職員（例：呼吸器内科，ICT，救急科，ICU，病棟，検査部等）を対象に実施することができる．それ以外の部署は，保健所の指示に応じて接触者健診として実施する．
5）インフルエンザワクチン接種は集団接種のみの対応とする．

▶ 当院のワクチン接種基準（表B-3）

表B-3　当院のワクチン接種基準

対象疾患	推奨 ワクチン接種回数	ワクチン 費用負担
B型肝炎	●抗体を獲得していた履歴があれば追加のワクチン接種は不要 1シリーズ3回接種 (0，1，6か月) ※1シリーズで抗体価上昇が確認されなかった場合は追加1シリーズを実施 ※2シリーズ接種後，抗体陽性化がみられなかった場合は「ワクチン不応者」として皮膚・粘膜曝露に際しては厳重な対応と経過観察を行う (3シリーズ目は推奨しない)	病院負担
麻疹 風疹 水痘・帯状疱疹 流行性耳下腺炎	ワクチンにより免疫を獲得する場合は2回接種を原則とする ※ごくまれに2回接種しても抗体陽性化がみられない場合があるが，2回接種していれば就業制限はない	自己負担

(日本環境感染学会：医療関係者のためのワクチンガイドライン第3版．環境感染誌35 (SupplⅡ)：S1-S33，2020より抜粋改変)

▶ 麻しん・風しん・水痘・流行性耳下腺炎（ムンプス）ワクチン接種のフローチャート（図B-7）

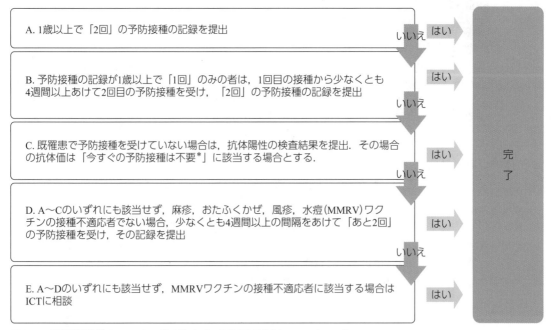

図B-7　医療関係者のワクチンガイドラインMMRV対応フローチャート

＊：下記文献参照

(日本環境感染学会：医療関係者のためのワクチンガイドライン第3版．環境感染誌35 (SupplⅡ)：S1-S33，2020より改変)

▶ 抗体価やワクチン接種状況の確認と抗体価カード

1) 抗体価検査を行った後，検査結果が記入された「抗体価カード」(図B-8)が個人に送付される.
2) 曝露時など速やかに自己の抗体価確認が行えるよう，職員の「抗体価カード」をネームホルダーに携帯することを義務づける.
3) ワクチン接種を院外で行った場合は，担当事務に接種を証明できる書類を提出する(院内で接種した場合は不要).
4) 裏面の「ワクチン接種歴」に接種年月日を自分で記入する.

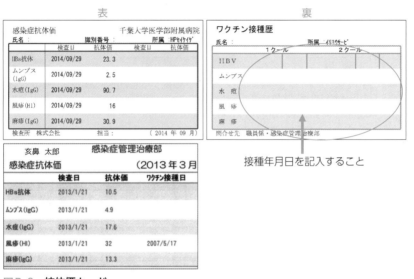

表　　　　　　　　　　　　裏

接種年月日を記入すること

図B-8　抗体価カード
(注) 2014年度以前の使用者は「抗体価カード」の書式が異なり，感染管理部門の名称も旧名称(感染症管理治療部)になっている

▶ 職員ワクチン外来

1) 病院の定める日程で毎月行う.
2) ただし，各種抗体価検査は担当事務で採血管を受け取り，当日のうちに採血を実施し担当事務に検体を届ける. 採血が実施できない者は検査部採血室で採血となる.
3) すべてのワクチン接種について，前の週に担当事務に電話もしくはメールで予約をする.

▶ その他

1) 実習生・研修生についても，職員と同様の接種基準に基づき免疫を獲得したうえで実習・研修を開始する.
2) 外部業者や派遣社員については，自社の責任において抗体検査およびワクチン接種を実施する.
3) 麻疹・風疹・ムンプス・水痘ワクチン，B型肝炎ワクチンの同時接種は当院の集団接種でも行える.
4) 同時接種以外，異なる種類のワクチンを接種する際の接種間隔のルールの一部変更は図B-9を参照.
5) 新型コロナウイルスワクチンはインフルエンザワクチンとの同時接種は可能である. また，前後の間隔も制限はない.
　　※そのほか，最新の情報は厚生労働省のHPを参照.

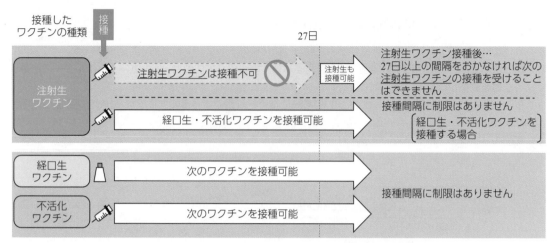

図B-9　令和2年10月1日からの「異なる種類のワクチンを接種する際の摂取間隔のルール」
(厚生労働省：ワクチンの接種間隔の規定変更に関するお知らせ https://www.mhlw.go.jp/stf/seisakunitsuite/bunya/
kenkou_iryou/kenkou/kekkaku-kansenshou03/rota_index_00003.html)

C 感染経路別予防策

Point

- 経路別予防策は，実施する際に患者，家族，面会者への配慮が重要です．
- すべての医療従事者が対策の必要性を理解できるよう，掲示物はイラストなどを用いて病室やベッドサイドに表示できるような工夫が必要です．

MEMO

1　感染経路別予防策とは

▶ 感染経路別予防策

感染経路別予防策とは，微生物が特定されたときまたは特定の微生物を疑ったときに的確に対応するための予防策である．その予防策は接触感染予防策，飛沫感染予防策，空気感染予防策を指し，いずれも標準予防策をベースとした追加感染対策である．また3つの予防策は個々で標準予防策に追加されるが，重複して(例えば接触＋飛沫，接触＋空気)対策をする場合もある．「**D 病原体別対応**」の項(p.53〜88)を参照し，感染期間を確認しながら対応・対策を講じる．

▶ 感染対策の表示

当該部署のスタッフだけでなく，他部門の医療従事者も含め，対象患者に診療・検査・ケアを実施する者が，その場で実施されている感染経路別予防策を確認し，適切な予防策を実施できるようにするため，院内で統一した表示を行う．

1）ナースコールのネームへの表示(図C-1)

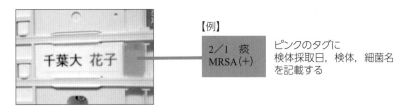

【例】

2／1　痰
MRSA(＋)

ピンクのタグに
検体採取日，検体，細菌名
を記載する

図C-1　ナースコール：ネーム表示

2）病室の入口への掲示(図C-2)
　a）マグネット付き(個室用)
　　①個室の取っ手上に掲示する．
　b）マグネットなし(多床室用)
　　①該当患者のいるベッド位置にチェックを入れる．
　　②多床室の病室前のネームプレートにテープで貼り掲示する．

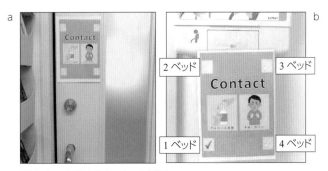

図C-2　病室の入り口への掲示
A：個室，B：多床室

▶ 看護師が患者・家族へ説明するときの1例

「主治医から説明があったと思いますが，『痰，便，尿，創部』検査の結果，対策が必要な細菌（ウイルス）が検出されていますので，感染予防のために表示しています」など.

▶ 掲示するタイミング，外すタイミング

①掲示するとき：感染経路別予防策が必要な細菌またはウイルスが検出されたとき.
②掲示を外すとき：ICTと診療科および入院診療科・部署担当者と協議・確認を行い外す.

▶ 掲示物の請求と破棄

①掲示物を外したら，環境清掃用ウェットクロスで清拭し各部署で保管する.
②掲示物は入院病棟にストックを置き，さらに必要になった場合はICTに請求する.

2　接触感染予防策

　患者や環境を介して接触伝播する病原微生物を遮断することを目的として実施する予防策である．特に細菌類は，検査陰性になったとしても耐性菌を保菌している可能性があるので，対応・対策の解除については ICT と相談のうえで判断すること（表 C-1）．対応・対策の詳細は「**D　病原体別対応**」を参照（p.53〜88）．接触感染予防策の掲示物を図 C-3 に示す．

表 C-1　注意が必要な微生物と対応・対策

微生物		対応・対策
薬剤耐性菌	MRSA；メチシリン耐性黄色ブドウ球菌 MDRP；多剤耐性緑膿菌 カルバペネム耐性緑膿菌 CRE；カルバペネム耐性腸内細菌科細菌 MDRAB；多剤耐性アシネトバクター VRE；バンコマイシン耐性腸球菌 ESBL 産生菌；基質特異性拡張型βラクタマーゼ産生菌	●手指衛生，個人防護具（PPE），環境整備 ●個室隔離 ●複数の患者で検出された場合や個室の確保が難しい場合は，共通の病原体が分離された複数の患者を1つの病室に集めて収容する（コホーティング）
SARS-CoV-2；新型コロナウイルス		手指衛生，PPE，環境整備，個室隔離 ※飛沫感染予防策（エアロゾル発生手技時は空気感染予防策）と合わせて実施する
RSV；RS ウイルス		手指衛生，PPE，環境整備，個室隔離 ※飛沫感染対策と合わせて実施する
CD（*C. difficile*）；クロストリディオイデス・ディフィシル 嘔吐下痢関連微生物		手指衛生，PPE，環境整備，個室隔離，トイレの専用化

図 C-3　接触感染予防策の掲示物

3 飛沫感染予防策

患者飛沫から病原微生物が飛散し感受性者に感染することを予防する対策である．下記に留意し対策を行う（表C-2）．飛沫感染予防策の掲示物を図C-4に示す．

①職員は必ずサージカルマスクを着用して対応する．

②患者の周囲最低1mは，飛沫の飛散するエリアとして環境整備や環境清掃を実施すること．

③咳や痰の多い患者は最大数mも飛沫が飛散する可能性がある．そのため，必要時には患者にマスクの装着を依頼する．気管切開を行っている場合はガーゼエプロンなどでも可能である．

④飛散の激しい患者は個室収容を検討する．

表C-2 注意が必要な微生物と対応・対策

微生物	対応・対策
インフルエンザウイルス，風疹ウイルス，百日咳菌，髄膜炎菌，マイコプラズマ，A群溶血性レンサ球菌，アデノウイルス	● 患者は可能であればサージカルマスクを装着する ● 飛沫が飛散する環境は清掃する
緑膿菌，多剤耐性菌など	● 酸素マスクやトラキオマスクは1日1回エタノール清拭する ● Tピースは汚染ごとに交換，または，付着した痰を雑ガーゼで除去し，エタノール清拭する ● マスク類やTピースは1週間に1回は交換する ● 飛沫が飛散する環境は清掃する
SARS-CoV-2；新型コロナウイルス	手指衛生，個人防護具，環境整備，個室隔離 ※接触感染予防策（エアロゾル発生手技時は空気感染予防策）と合わせて実施する

表　　　　　　　　　　　　裏

図C-4 飛沫感染予防策の掲示物

4 空気感染予防策

　広範囲に空気中を浮遊し感染する病原微生物に対して実施する予防策である（表C-3）．下記に留意して対策を行う．空気感染予防策実施の掲示物を図C-5に示す．

①N95マスクを使用する機会の多い医療従事者は，年1回はN95マスクのフィットテストを実施し，装着確認を行うこと．フィットテストに使用する器材の問い合わせはICTへ連絡する．

②麻疹や水痘，播種性帯状疱疹の患者に対応する職員は特に，罹患歴やワクチン接種歴，採血による各自の抗体価状況を把握すること．

③陰圧室は圧差探知装置による空気圧が適切であるかのモニタリングを毎日実施する．

表C-3　注意が必要な微生物と対応・対策

微生物	対応・対策
結核菌	●患者は可能であればサージカルマスクを装着する ●医療従事者はN95マスクを装着する ●環境に付着した喀痰などによる結核の感染性はないため，通常の清掃で可能である ●人工呼吸器使用中は排気フィルターを使用する ●原則，陰圧空調管理とする
麻疹ウイルス 水痘・帯状疱疹ウイルス	●患者は可能であればサージカルマスクを装着する ●抗体陰性の医療従事者はN95マスクを装着する ●妊婦の接触は控える ●人工呼吸器使用中は排気フィルターを使用する ●原則，陰圧空調管理とする ●水痘・帯状疱疹は接触感染予防策も合わせて実施する
SARS-CoV-2；新型コロナウイルス SARS-CoV；SARSコロナウイルス， MERSコロナウイルス，サル痘ウイルス	●患者は可能であればサージカルマスクを装着する ●抗体陰性の医療従事者はN95マスクを装着する ●人工呼吸器使用中は排気フィルターを使用する

表　　　　　　　　　　裏

Airborne

アルコール消毒　　N95マスク着用

空気感染注意

病原微生物が広範囲に
空気中を浮遊し感染します

・N95マスク

※装着後に必ず
　ユーザーシールチェックを行う
※麻疹、水痘、播種性帯状疱疹
　は抗体陽性であれば必要なし

病室の外で着ける
　〃　　外す

解除についてはICTに相談

図C-5　空気感染予防策の掲示物

D 病原体別対応

Point

- 病原体別の基本情報（潜伏期間・感染経路・症状・検査・治療・感染防止対策）を簡潔に記載しましょう．
- 病原体別の消毒・衛生管理（身体清潔，寝具・リネン・食器・廃棄物・排泄物・医療機器などの取り扱い・清掃や消毒方法）について具体的に記載しましょう．
- 病原体は，病院内で問題となりやすい感染症を薬剤耐性菌も含めて網羅しておくと便利です．

MEMO

1 流行性角結膜炎

☞ 流行性角結膜炎を診断(疑い例含む)・診察した場合には，ICTへ連絡すること

基本情報

病原体	：アデノウイルス
潜伏期間	：7～10日
感染の可能性	：感染経路は接触感染．非常に感染力が強く，また，空気中・水中でも24時間生存可能．患眼に触れた手がドアノブや手すりなどを触り，そこをうっかり触った手で眼をこするとアデノウイルスに感染する．また，共通の器具や医療従事者を介して感染する．2人の患者が発生していたら院内で感染が伝播している可能性がある
感染時の症状	：結膜充血，流涙，眼脂，瘙痒感．結膜炎は発症後2～3週間で治癒する
検査	：眼科受診．アデノウイルス迅速抗原検査実施(特異度は高いが感度は約60%)
治療	：対症療法．点眼薬
感染防止対策	：個室隔離または自宅療養．同室者は10日間の潜伏期間が終了するまで転室は禁止し，症状の出現を注意深く観察する．発症者の病室へは，最後の発症日より10日間は新規患者を入室させない．同室者が室外へ出るときは，手を速乾性手指消毒剤で消毒する 発症者が触ったと思われる場所をエタノールで消毒する(最大範囲：発症1日前)．ドアノブ，室内のスイッチ，手すり，水道の蛇口，電話，エレベータのスイッチ，床頭台など

消毒・衛生管理

身体の清潔	通常通り
寝具・リネン類・寝衣	退院後はベッド柵をエタノールで拭き，ベッドセンターへ消毒依頼する．リネンは感染性扱いにする．退院後はカーテンを交換する
食器	通常通り
廃棄物	眼脂などで汚染したものはビニール袋に入れ，感染性廃棄物として処理する
排泄物	通常通り
便器	手が触れた場所は，エタノールで消毒
清掃や洗浄	消毒薬はエタノール，または次亜塩素酸ナトリウムのみ有効．100℃3秒の煮沸も有効
手指衛生	手指衛生の徹底．患者ごとのケア時は手袋を交換する．入院患者には手洗いと手指消毒をするよう指導する
診療器具・看護用具	血圧計，体温計，聴診器は個人専用にする．点眼薬は個人専用にする

自宅で加療する患者に対する指導
①手洗いの厳守(流水と石けんでの手洗い)．特に点眼前後．②眼を手でこすらない．こすった手で物には触らない．③眼脂がひどいときはティッシュペーパーや清浄綿で拭き取る．④点眼薬，清浄綿は左右別に使用(健眼に感染しないよう)．⑤タオルの共有は避ける．⑥洗濯は家族のものとは別に最後に行う．⑦洗顔時の注意として健常眼から洗うこと．⑧入浴は最後にする．⑨外出は控え，社会復帰する前には必ず受診する．
職員の発症は2週間出勤停止(勤務再開前には眼科医の就労許可が必要)
①発症1週間前から医療従事者(本人)の行動分析を行い感染経路の確認をする．②拡大した場合は入院制限や手術の中止などもICTは考慮する．

② インフルエンザ

☞　インフルエンザを診断・診察した場合には，ICTへ連絡すること

基本情報

病原体	：インフルエンザウイルス
潜伏期間	：1〜5日(平均3日)
感染の可能性	：飛沫感染(接触感染の可能性あり)．感染力は非常に強い．感染期間は，症状出現前から発症後7日間程度．最も強い期間は発症初期の3日間
感染時の症状	：38〜39℃を超える突然の発熱．頭痛，関節痛，全身倦怠感，鼻汁，咳嗽などの上気道症状 　注：ワクチン接種者の場合，非典型的な症状を呈することがある
合併症	：肺炎，脳症など
検査	：インフルエンザウイルス抗原検出用迅速診断キットを用いて，咽頭・鼻腔拭い液中のウイルス抗原を検出 　注：発症後早期の感度は50〜80%．感染が疑わしい場合は，12時間後に再検査を実施
治療	：「抗原陽性」「臨床的にインフルエンザ」と診断され，必要と判断した場合にのみ，抗インフルエンザ薬を処方．解熱薬は原則，アセトアミノフェン製剤を使用．ジクロフェナクナトリウム，メフェナム酸製剤は禁忌
予防投与	：●発症者と同室の患者：ICTが同室者のインフルエンザ感染のリスクやアウトブレイク防止の観点から，予防投与が必要と判断した場合に適応となる．また，65歳未満で基礎疾患がない場合は基本的には予防投与を行わない 　以下のいずれかに該当する場合に予防投与を検討する 　　①発病者がサージカルマスクを着用しておらず，かつ，ウイルスの曝露者が季節性インフルエンザワクチン非接種である 　　②患者状態から判断し，感染による影響が極めて高い状態である 　●職員：基本的には，職員への予防投与は推奨しない．集団発生が確認され，病棟運営や診療体制維持に重大な支障をきたすと判断され，ICTが必要と判断した場合は予防投与を行う
感染防止対策	：患者状態により外泊・退院が可能であれば実施し，退院不可能な場合は個室隔離．同時多人数発生時は同病同室(コホーティング)とする．多床室で発生した場合，隔離期間中の同室者はコホートとし，ほかの多床室への転室を禁止，また同室への新規入室は停止する．隔離期間は発症した後5日を経過し，かつ解熱した後2日間． 担当の職員を限定し飛沫感染対策を励行する．患者はトイレや検査などで止むを得ず室外へ出るときはサージカルマスクを着用する．面会制限を行う

消毒・衛生管理

身体の清潔	患者状態にあわせて実施．浴室の清掃は通常清掃
寝衣・リネン類	通常通り
食器	通常通り
廃棄物	通常通り
排泄物	通常通り
便器	通常通り
清掃や洗浄	高頻度接触面は1日1回以上，環境清掃用ウェットクロスを用い2度拭きをする
手指衛生	通常の手指衛生で対応可能
診療器具・看護用品	個人専用とする

🔍 入院患者のインフルエンザ発生時の対応（図D-1）······································

▶ 病院感染対策上の基本的な考え方

①患者は個室収容し，飛沫感染予防策を遵守する.
②複数患者を1室にまとめて収容し，ケア担当の職員も限定する（コホーティング）.
③ハイリスク患者にはあらかじめワクチン接種が推奨される.
④入院患者で2次感染が疑われる場合は，直ちにICTへ連絡する.

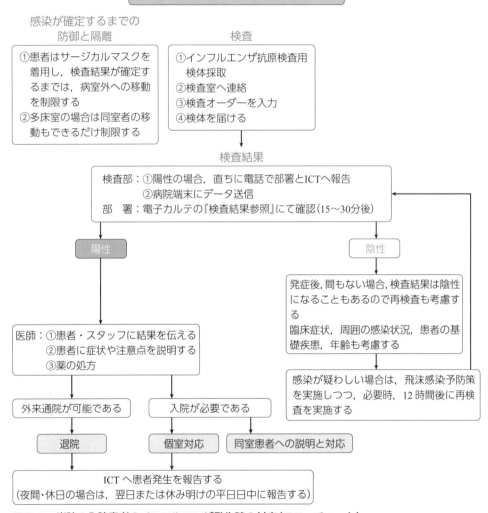

図D-1　当院の入院患者のインフルエンザ発生時の対応（フローチャート）

ウイルスの曝露を受けた患者への抗インフルエンザ薬の予防投与などは，「基本情報；予防投与—発症者と同室の患者（前ページ）」を参照.

🔍 職員のインフルエンザ発生時の対応（図D-2）· ·

▶ 病院感染対策上の基本的な考え方

①インフルエンザと診断された職員は発症した後5日を経過し，かつ解熱した後2日までは就業制限．
②医療従事者には原則としてワクチン接種が推奨される．
③接触者への一律な予防投与は原則として行わない．
　（注）ウイルスの曝露を受けた患者への予防投与などは，ICTで総合的に判断するため相談する．
④市中の流行状況を確認し，サージカルマスクの着用など各自予防行動を発症前から心がける．

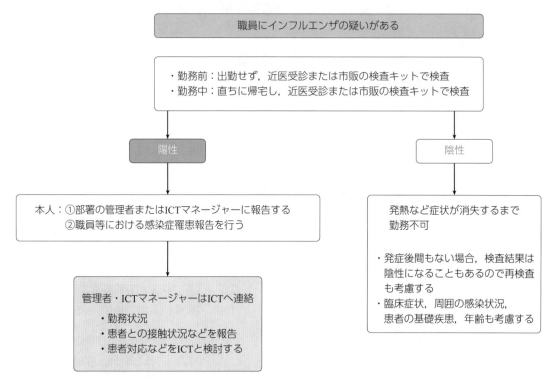

図D-2　当院の職員のインフルエンザ発生時の対応（フローチャート）

③ 水痘・帯状疱疹

☞ 水痘や播種性帯状疱疹を診断(疑い例含む)・診察した場合には，ICTへ連絡すること

基本情報

病原体	：水痘・帯状疱疹ウイルス
潜伏期間	：14〜16日(最大幅14〜21日)
感染の可能性	：水痘は空気感染・飛沫感染・接触感染．帯状疱疹は接触感染(播種性は空気感染) 感染期間は，発疹出現2日前からすべての水疱が痂皮化するまで すべての発疹が痂皮化するまでは出席停止(学校保健安全法)
感染時の症状	：発熱(70%)，発疹が同時に混在する．発疹は紅斑から始まり，2〜3日で，水疱→膿疱→痂皮へと進行
診断	：臨床診断(皮膚科の診断を受けることもある)
治療	：アシクロビル投与
感染防止対策	：水痘・播種性帯状疱疹は，陰圧室への隔離が必要．帯状疱疹は個室への隔離が望ましい 水疱がすべて痂皮化したら隔離解除 患者のケアは水痘に免疫のある者が優先して行う(抗体のない医療従事者はN95マスク使用)．ガウン(必要時)，手袋，マスクを着用

消毒・衛生管理

身体の清潔	最後に入浴．浴室の清掃は通常清掃
寝具・リネン類・寝衣	ベッド・マットレスの消毒は特に行わない．退院後ベッド洗浄 リネン類は体液の付着があるものは感染性リネンの取り扱いに準じる．衣類は病棟の洗濯機・乾燥機を使用可能
食器	通常通り
廃棄物	通常通り
排泄物	特に消毒しない
便器	通常通り
清掃や洗浄	環境整備は通常通り実施する．陰圧管理時，退室後の病室は2時間換気する
手指衛生	通常の手指衛生で対応可能．特に入室前後での手指衛生の徹底が重要
診療器具・看護用具	個人専用とする

免疫のない職員が水痘・帯状疱疹への曝露をした場合の対応

抗体価の確認

陽性：対応なし

陰性：水痘ワクチン緊急接種(曝露後72時間以内)

ワクチンを2回接種している者は抗体の確認は不要．

ワクチン接種を2回実施していることが重要であるため，職員はワクチン接種を確実に行うように努める．

4　麻疹

☞　**診断後直ちに保健所への届け出が義務づけられている**

基本情報

病原体	：麻疹ウイルス
潜伏期間	：約10～12日（最大幅7～18日）
感染の可能性	：空気感染・飛沫感染・接触感染．感染期間は発疹出現の5日前から出現後5日．解熱した後3日を経過するまで出席停止（学校保健安全法）
感染時の症状	：発熱（2峰性），咳嗽，鼻汁，結膜充血，眼脂→コプリック斑→発疹→色素沈着を残して消退
検査	：咽頭拭い液・血液・尿などからのPCR検査にて行う（保健所に問い合わせる） 麻疹IgM抗体測定
治療	：対症療法のみ
感染防止対策	：陰圧室への隔離が必要．感染期間を過ぎたら隔離解除する 患者のケアは麻疹に免疫のある者が優先して行う（免疫のない医療従事者はN95マスク使用）．ガウン，手袋，マスクを着用

消毒・衛生管理

身体の清潔	最後に入浴（感染期間中は禁止）．浴室の清掃は通常清掃
寝具・リネン類・寝衣	ベッド・マットレスの消毒は特に行わない．退院後ベッド洗浄 リネン類は体液の付着があるものは感染性リネンの取り扱いに準じる．衣類は病棟の洗濯機・乾燥機を使用可能
食器	消毒不要
廃棄物	通常通り
排泄物	通常通り
便器	通常通り
清掃や洗浄	退室後は，病室の扉を閉め2時間換気後に清掃する．清掃は通常と同じ
手指衛生	入室前後での手洗い，手指消毒の徹底
診療器具・看護用具	個人専用とする

免疫のない職員が麻疹への曝露をした場合の対応

抗体価の再確認

陽性：対応なし

陰性：麻疹ワクチン緊急接種（曝露後72時間以内）

ワクチンを2回接種している者は抗体の確認は不要．

ワクチン接種を2回実施していることが重要であるため，職員はワクチン接種を確実に行うように努める．

5 風疹

☞　診断後直ちに保健所への届け出が義務づけられている

基本情報

病原体	：風疹ウイルス
潜伏期間	：約14〜17日（最大幅14〜21日）
感染の可能性	：飛沫感染．感染期間は発疹出現の5日前から出現後5日 　紅斑性の発疹が消失するまで出席停止（学校保健安全法）
感染時の症状	：微熱，全身の赤斑性斑状丘疹，リンパ節腫脹（後頭下，耳後部，頸部）
検査	：咽頭拭い液・血液・尿などからのPCR検査にて行う（保健所に問い合わせる） 　風疹IgM抗体測定
感染防止対策	：個室に収容する．感染期間を過ぎたら隔離解除する 　患者のケアは風疹に免疫のある者が優先して行う 　ガウン，手袋，マスクを着用

消毒・衛生管理

身体の清潔	最後に入浴（感染期間中は禁止）．浴室の清掃は通常清掃
寝具・リネン類・寝衣	ベッド・マットレスの消毒は特に行わない．退院後ベッド洗浄 リネン類は体液の付着があるものは感染性リネンの取り扱いに準じる．衣類は病棟の洗濯機・乾燥機を使用可能
食器	消毒不要
廃棄物	通常通り
排泄物	通常通り
便器	通常通り
清掃や洗浄	通常通り
手指衛生	入室前後での手洗い，手指消毒の徹底
診療器具・看護用具	個人専用とする

免疫のない職員が風疹への曝露をした場合の対応

抗体価の再確認

陽性：対応なし

陰性：潜伏期間を考慮した発症観察期間の設定

ワクチンを2回接種している者は抗体の確認は不要．

ワクチン接種を2回実施していることが重要であるため，職員はワクチン接種を確実に行うように努める．

6 流行性耳下腺炎（ムンプス）

☞　流行性耳下腺炎診断（疑い例を含む）・診察した場合には，ICTへ連絡すること

基本情報

病原体	：ムンプスウイルス
潜伏期間	：約16〜18日（最大幅12〜25日）
感染の可能性	：飛沫感染・接触感染．感染期間は耳下腺腫脹2日前から出現後5日 耳下腺，顎下腺または舌下腺の腫脹が発現した後5日を経過し，かつ全身状態が良好になるまで出席停止（学校保健安全法）
感染時の症状	：耳下腺の腫脹は発症3日頃が最大となり，6〜10日で消失．30〜40％は不顕性
合併症	：無菌性髄膜炎など
診断	：臨床診断
治療	：対症療法のみ
感染防止対策	：隔離が必要．隔離解除の目安は，耳下腺，顎下腺または舌下腺の腫脹が発現した後5日を経過し，かつ全身状態が良好になるまで ガウン，手袋，マスクを着用

消毒・衛生管理

身体の清潔	最後に入浴（感染期間中は禁止）．浴室の清掃は通常清掃
寝具・リネン類・寝衣	ベッド・マットレスの消毒は特に行わない．退院後ベッド洗浄 リネン類は体液の付着があるものは感染性リネンの取り扱いに準じる．衣類は病棟の洗濯機・乾燥機を使用可能
食器	通常通り
廃棄物	通常通り
排泄物	通常通り
便器	通常通り
清掃や洗浄	環境整備は通常通り実施する
手指衛生	通常の手指衛生で対応可能．特に入室前後での手洗い，手指消毒の徹底が重要
診療器具・看護用具	個人専用とする

免疫のない職員が流行性耳下腺炎への曝露をした場合の対応

抗体価の再確認

陽性：対応なし

陰性：潜伏期間を考慮した発症観察期間の設定

ワクチンを2回接種している者は抗体の確認は不要．

ワクチン接種を2回実施していることが重要であるため，職員はワクチン接種を確実に行うように努める．

7　ウイルス性胃腸炎

基本情報

病原体	：ロタウイルス，ノロウイルスなど
潜伏期間	：約2日
感染の可能性	：経口的にウイルスを摂取することによる感染．ノロウイルスは，経気道感染も起こす．便からのウイルス排泄期間は3週間程度．免疫不全状態では，排泄期間は延長する
感染時の症状	：下痢，嘔吐，時に発熱
合併症	：脱水．高齢者では嘔吐による誤嚥性肺炎
検査	：迅速抗原検査
治療	：対症療法
感染防止対策	：隔離が必要．複数の患者がいる場合，同室に収容可能（コホーティング）．隔離解除の目安は，「下痢が止まること」 ウイルスの排泄期間中は，排便後の手洗い，一般衛生面などへの注意が必要 吐物・排泄物はビニール袋に密閉し，速やかに廃棄処理する．吐物・排泄物を取り扱うときはガウン，手袋，マスクを着用（廃棄時，周囲を汚染しないように脱ぐ）．便を取り扱った後は十分な手洗いを行う

消毒・衛生管理

身体の清潔	下痢症状があるときはシャワー・入浴禁止
寝具・リネン類・寝衣	退院後ベッド洗浄．吐物・排泄物が付着したものは，感染性リネン扱いにする．衣類，タオル類で排泄物が付着したものは，下洗いしてから，0.05〜0.1％の次亜塩素酸ナトリウムに希釈した漂白剤で約30分程度浸漬消毒，処理後に，病院(病棟)の洗濯機・乾燥機は使用可能
食器	特別な消毒は不要
廃棄物	通常通り
排泄物	排泄物の付着したオムツはビニール袋に入れ，密閉し感染性廃棄物として廃棄する．吐物は，周囲に広がらないようクロスで包み込むようにして除去する．吐物・排泄物は，乾燥による空気(飛沫)感染の可能性もあり，乾燥させないよう処理し密封して廃棄する
便器	便器は個人専用とする．排便ごとにベッドパンウォッシャーで消毒する．便座は汚れを拭き取った後，0.05〜0.1％次亜塩素酸ナトリウムを含浸させたクロスで清拭消毒し，10分後に水拭きをする．または，ペルオキシ一硫酸水素カリウム製剤の製品を使用する
清掃や洗浄	環境整備は通常通り実施する
手指衛生	排泄物を取り扱った後は，石けんと流水手洗いを行う
診療器具・看護用具	個人専用とする

ウイルスが検出されなくても，下痢がある患者は感染性があるとし，排泄物の取り扱いには十分注意する．

8 RSウイルス

基本情報

病原体	：RSウイルス
潜伏期間	：2〜8日(典型的には4〜6日；ウイルス排泄は症状出現後約7日持続)
感染の可能性	：感染経路は飛沫感染，汚染された手指，物品を介して感染*．鼻粘膜・眼球粘膜からの感染が多い．感染者と接触した職員に感染しやすい．職員は無症状でも患者に感染する．再感染が起こりやすい
感染時の症状	：発熱，咳嗽，鼻汁などの気道症状
合併症	：肺炎，急性細気管支炎から呼吸不全に至ることがある．乳児では重症化しやすい
検査	：RSウイルス迅速抗原検査．30分以内に結果判定可能
治療	：対症療法．特定の基礎疾患のある小児には，パリビズマブ投与による予防が可能
感染防止対策	：患者隔離が必要．複数の患者がいる場合，同室に収容可能(コホーティング)．隔離解除の目安は発熱後約1週間

*RSウイルスの生存期間：カウンターの上(6時間)，ゴム手袋(30分)，ガウン・ペーパー(30〜45分)，汚染物に触れた手(25分)

消毒・衛生管理

身体の清潔	最後に入浴．浴室の清掃は通常清掃
寝具・リネン類・寝衣	ベッド・マットレスの消毒は特に行わない．退院後，ベッド洗浄 家庭用衣類は薬液による消毒は不要．通常通り洗濯を行う．病院の洗濯機・乾燥機は使用可能
食器	通常通り
廃棄物	通常通り
排泄物	特に消毒しない．オムツは専用の医療廃棄物として捨てる
便器	通常通り
清掃や洗浄	環境整備は通常通り実施する 高頻度接触面は環境清掃用ウェットクロスで1日1回以上消毒する
手指衛生	通常の手指衛生で対応可能．特に入室前後での手洗い，手指消毒の徹底が重要
診療器具・看護用具	個人専用とする

⑨ 腸管出血性大腸菌

☞ 感染症法3類感染症.直ちに保健所への届け出が義務づけられている

基本情報

病原体	：ベロ毒素を産生する腸管出血性大腸菌(O26, O111, O128, O157など)
潜伏期間	：1〜7日
感染の可能性	：経口感染(ウシに関連した食品などが原因)
感染時の症状	：典型的な例は，水様下痢から始まり，2〜3日後に血性となり，鮮血様の血便となる
合併症	：溶血性尿毒症症候群(HUS)を合併しやすい 合併した場合，腎不全や脳症により死亡する例もまれにみられる
検査	：便培養(ベロ毒素の検出)
治療	：対症療法主体.病初期に抗菌薬を投与することもある
感染防止対策	：個室隔離が望ましい.隔離解除の目安は，下記①②において除菌が確認されたとき ①24時間以上の間隔を空けた連続2回の検査 ②抗菌薬を投与した場合は服薬中と服薬中止後の48時間以上経過した時点での連続2回の検査

消毒・衛生管理

身体の清潔	便培養陰性確認後から入浴可能.できるだけ浴槽につからず，シャワーを使用する 使用後の浴槽は浴槽用洗剤でよく洗浄し，十分に洗い流す 下痢症状のあるときは，シャワー・入浴ともに不可
寝具・リネン類・寝衣	ベッド・マットレスは病棟での消毒は不要(退院後ベッドセンターへ洗浄依頼) 清拭タオルはディスポタオルを使用する 排泄物の付着したシーツ・衣類は感染性リネンとして取り扱う.汚染した衣類は，0.05〜0.1％次亜塩素酸ナトリウムに30分程度浸漬し，その後洗濯・乾燥する
食器	通常通り
廃棄物	汚染したものはビニール袋に入れ，感染性廃棄物として処理する
排泄物	体液や排泄物に触れるときはディスポの手袋とエプロンを装着する 紙オムツは感染性廃棄物として処理する
便器	ポータブルトイレなどの排泄物の付着した物品の消毒は，ベッドパンウォッシャーによる消毒か，排泄物を洗い流した後，0.05〜0.1％次亜塩素酸ナトリウムに30分程度浸漬し消毒する.また，便座を清拭消毒する
清掃や洗浄	患者が使用した後はトイレの取っ手やドアノブなど，直接触れた部位を中心に環境清掃用ウェットクロスで清拭消毒する
手指衛生	入室前後で手洗い厳守.患者や家族にも，手洗いを励行するよう指導する
診療器具・看護用具	個人専用とする

⑩ 結核

☞　感染症法2類感染症. 診断後直ちに保健所への届け出が義務づけられている

基本情報

病原体	：結核菌（*Mycobacterium tuberculosis*）
潜伏期間	：感染後1年以内に発症するが，それ以降にも発症しうる
感染性期間	：症状出現時点3か月前から隔離解除基準を満たすまで
感染性の評価	：喀痰の抗酸菌塗抹検査で陽性（結核菌と確定）の場合に感染性を有する
感染経路	：空気感染
	高齢者, 糖尿病患者, 癌患者, 免疫不全患者などは, 感染発病のリスクが高い. 肺結核の既往がある患者の場合, 再発することがある. 感染予防対策上問題になるのは, 肺結核, 気管・気管支結核, 喉頭結核など気道病変である
感染時の症状	：発熱, 咳嗽など
	発症初期は明らかな症状がなく, 胸部X線像も見落とされる可能性がある
検査	：喀痰抗酸菌塗抹培養検査（3回）・PCR法（1回）を検査部に至急依頼する
	※喀痰が採取できないときの吸引処置や胃液検査は推奨しない
	●採痰場所
	病棟：陰圧個室, 外来：採痰ブース
	※確定診断のための採痰（結核が疑われる状態）は, 病棟内個室で実施可能
治療	：抗結核薬による治療
	薬剤感受性などにより治療期間は異なる
感染防止対策	：空気感染予防策を励行する
個人防護具	：感染性を有する患者と接触する際は必ずN95マスクを着用する
	※着用方法, ユーザーシールチェックについては「**A-3　個人防護具（PPE）**」(p.6)を参照
隔離解除	：臨床症状が改善し, 喀痰の抗酸菌塗抹検査が治療開始2週間後から3回連続陰性の場合（原則1週間の間隔を空けて検査する）

消毒・衛生管理

身体の清潔	排菌がある間は陰圧室にあるシャワーで行う. 浴室の清掃は通常清掃
寝具・リネン類・寝衣	ベッド・マットレス, シーツ・タオルは通常通り 喀痰などで汚染のあるシーツ類は感染性リネンとして扱う. 衣類は病棟の洗濯機・乾燥機を使用可能
食器	通常通り
廃棄物	通常通り
排泄物	通常通り
便器	通常通り
清掃や洗浄	環境整備はN95マスクを装着し通常通り実施する 退室後は, 病室の扉を閉め1時間換気後に清掃する（換気後はN95マスクの着用は不要）
手指衛生	標準予防策の手指衛生で対応
診療器具・看護用品	個人専用とする必要はない 使用後は環境清掃用ウェットクロスなどで清拭消毒後使用可能

搬送・検査・リハビリ・外来・手術時などの対応

搬送	検査などでやむを得ず病室を出るときは下記の手順で行う ●患者はサージカルマスクを着用する ●搬送にかかわる医療者はN95マスクを着用する ●エレベータは専用運転としほかの患者と同室とならないよう注意する
検査実施基準	基本的には病室内で実施できる検査方法を選択する CTやMRI撮影は，感染リスクと検査実施の必要性を考慮し決定する（診療科主治医はICTに相談・報告すること）
検査実施時の注意点	陰圧個室外で検査を行う際は必ず当該部署に結核患者であることを事前に報告する
放射線部の対応	患者と接触する医療者はN95マスクを着用する 患者を待合室などで待機させず速やかに検査室へ案内する 検査は当日の最後に実施する 検査後は扉を閉め1時間の換気を行う 1時間以内の患者の入室は禁止とし，医療従事者はN95マスクを装着し入室する 清掃は翌日朝，または1時間換気後に実施する 清掃方法は通常通り
リハビリテーション	リハビリは陰圧個室内か病院外で行う 医療者はN95マスクを装着する
外来	可能な限り，患者はサージカルマスクを着用する 結核疑い患者の診察は，各外来ブースの診察室で扉を閉めて行う 結核疑い患者の診察は，患者がサージカルマスクを装着できていれば，診察後通常の運用を開始してもよい 結核確定診断の患者の診察は，陰圧診察室で行う. 結核確定診断の患者の診察後は，扉を閉め1時間換気後通常の運用を開始する 会計は付き添い者が行う. 付き添い者がいない場合は次回精算とする
手術部	陰圧対応可能な手術室で行う 麻酔器装着までと，気管挿管抜管時から，医療従事者はN95マスクを装着する 手術にかかわる医療者を限定し，手術室への出入りを極力制限する 手術終了後は扉を閉め20分間換気後に清掃，通常の運用を開始する
透析室	当日の最後に個室の扉を閉め実施する 医療者はN95マスクを装着する 患者は可能であれば，サージカルマスクを装着する 透析終了後，扉を閉め1時間換気後個室内の清掃を通常通り行う
内視鏡センター	陰圧対応可能な内視鏡室で行う 医療者はN95マスクを装着する 内視鏡終了後，扉を閉め1時間換気後に清掃，通常の運用を開始する

D

病原体別対応

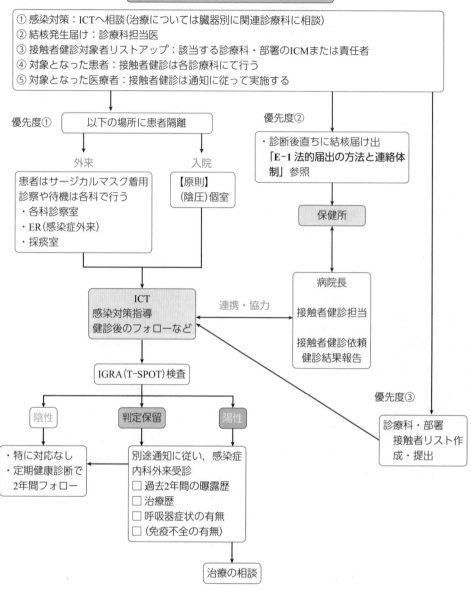

図D-3　**患者発生時の対応(フローチャート)**

 疥癬

☞　角化型疥癬の診断・診察をした場合は，ICTへ連絡すること

基本情報

病原体	：ヒゼンダニ
潜伏期間	：1〜2か月．4〜6週間の寿命で2〜4個/日卵を産み，10〜14日で成虫になる
感染の可能性	：ヒトからヒト(肌と肌の直接の接触)が主体．患者からの落屑が付着した医療器具，リネンなどを介して感染しうる．人体を離れると数時間で感染力は低下し2〜3日で死ぬ
感染時の症状	：体幹・四肢(特に腋窩，陰部)に紅色丘疹，指間・手掌に紅色丘疹小水疱または線状のトンネルを形成(ダニが皮膚の角質層内に寄生)，痒みを伴う
合併症	：角化型疥癬は，通常の疥癬の重症型．100〜200万の疥癬虫が寄生し，感染力が極めて強い．潜伏期間は，4〜5日のこともある．感染経路・所見は一般疥癬に同じ
検査	：皮膚科医による疥癬虫の確認
治療	：必ず皮膚科に対診依頼すること ●外用療法：クロタミトン・6〜35%安息香酸ベンジルローション．軟膏処置方法の注意点としては，製剤によって塗布間隔，回数が異なるので確認する．手袋を着用．頸部以下の全身に塗布．皺を伸ばしながら特に手指足趾間，腋窩，外陰部は念入りに行い，塗り残しがないように注意する．爪に寄生した場合は爪を削って外用する必要がある ●内服療法：イベルメクチン．瘙痒時は抗ヒスタミン薬の投与を行う
感染防止対策	：可能であれば個室に隔離(角化型疥癬は個室管理)．隔離解除の目安は，皮膚科医による疥癬虫の消退の確認による．患者や患者の衣類やリネンに接するときはガウンと手袋を着用する 角化型疥癬の場合は退室時にピレスロイド系殺虫剤を1回散布する

消毒・衛生管理

身体の清潔	最後に入浴．浴室は洗い流し，通常の清掃を実施．脱衣所に掃除機をかける
寝具・リネン類・寝衣	患者の肌着やリネンは毎日交換．シーツ類は感染性リネン扱いにする．肌着などはビニール袋に入れ密閉し，家族に手渡す
食器	通常通り
廃棄物	通常通り
排泄物	通常通り
便器	通常通り
清掃や洗浄	環境整備は通常通り実施する．汚染されている個所は，通常清掃後に環境清掃用ウェットクロス2度拭き清拭消毒する．病室の清掃は丁寧に掃除機をかける．角化型疥癬の場合は，モップ・粘着シートなどで落屑を回収後，掃除機(フィルター付が望ましい)で清掃する
手指衛生	入室前後で手洗い厳守．患者や家族にも，手洗いを励行するよう指導する
診療器具・看護用具	個人専用とする 角化型疥癬の場合は，使用終了後ピレスロイド系殺虫剤を散布する
その他	リハビリは接触感染予防策を遵守し施行(リハビリ担当者と情報の共有を行う) 皮膚科の許可が出るまでは病室内(病棟)で行う

⑫ クロストリディオイデス・ディフィシル (CD)関連下痢症

基本情報

病原体	：クロストリディオイデス・ディフィシル(CD)
潜伏期間	：不明（芽胞形成菌であるため）
感染の可能性	：高齢者，長期入院，抗菌薬使用が感染のリスク因子となる．接触感染（患者との直接接触または，患者の排泄物に汚染された物品・環境表面との間接接触），あるいは元来，本菌を腸管内に保有していた入院患者の腸内細菌叢が抗菌薬の長期・大量使用によって変化し，それに伴って内因性感染が誘発される形で発症する
感染時の症状	：下痢，発熱など
検査	：CD抗原，CDトキシン，核酸増幅検査および培養検査（便検体は5mL以上採取する）
治療	：可能な限り原因抗菌薬を中止または変更し，効果的な薬剤（メトロニダゾール，バンコマイシンなど）を使用する
感染防止対策	：標準予防策・接触感染予防策（抗菌薬使用中の下痢症患者の早期把握に努める） 可能であればトイレのある個室管理が望ましい

消毒・衛生管理

身体の清潔	排菌のみで入浴制限はしない．全身状態によって判断する．易感染状態の患者との交差をしないように浴室使用順を考慮し，シャワー室やシャワーヘッドの清掃を徹底する．清拭タオルは，体液が付着したときに感染扱いとする 下痢症状がある場合にシャワー・入浴ともに不可
寝具・リネン類・寝衣	リネン類が汚染した場合は水溶性ランドリーバッグに入れて洗濯へ出す．マットレスやベッドなどは汚染部位を十分に拭い取り，ベッド洗浄に出す
食器	通常通り
廃棄物	汚染したものはビニール袋に入れ，感染性廃棄物として処理する
排泄物	体液や排泄物に触れるときは，ディスポ手袋とエプロンを装着する．紙オムツは感染性廃棄物として処理する
便器	熱水消毒（ベッドパンウォッシャー）にて洗浄・消毒を実施する．便座は排便ごとに汚れを拭き取った後，0.1％次亜塩素酸ナトリウムやペルオキソ一硫酸水素カリウムを浸漬させたクロスで清拭する
清掃や洗浄	通常通り．ベッド周り・ドアノブなどは毎日清掃する．ドアノブなど高頻度接触面や汚染されている可能性のある箇所は，1日1回以上清掃する．清掃には環境清掃用ウェットクロスを用い物理的に取り除くことを目的とする．退院後は，通常の清掃を丁寧に行う
手指衛生	擦式消毒用エタノール製剤は無効なため，医療一行為ごとに流水と石けんによる手洗いを行う．患者や家族にも，手洗いを励行するよう指導する
診療器具・看護用具	聴診器や血圧計などは個人専用とする

13 クロイツフェルト・ヤコブ病（CJD）

☞　診断後7日以内に保健所への届け出が義務づけられている感染症法5類感染症

基本情報

概要	：脳に異常なプリオン蛋白が沈着し，脳神経細胞の機能が障害される一群の病気をプリオン病とよび，クロイツフェルト・ヤコブ病（CJD）はその代表的な疾患であり急速に進行する認知症を呈する．多くのCJDは家族歴がなく，プリオン蛋白遺伝子の変異もない例（孤発型CJD）で遺伝しない．特殊なものとして，CJDで亡くなった患者の角膜や脳硬膜を移植された人で発症した例（医原性CJD）や牛海綿状脳症（BSE：狂牛病）が人に感染した疑いのある例（変異型CJD）がある（難病情報センター https://www.nanbyou.or.jp/entry/80より） プリオンは角膜移植，硬膜移植，脳内電極，ヒト下垂体成長ホルモン投与などの医療行為によって感染する可能性があるため，もっとも注意を要するのは脊髄液である．体液，血液を介する感染も報告されているため，傷口や，眼に曝露をしないように十分な防護を講じること
感染防止対策	：原則，侵襲的（観血的）処置には，ディスポ器材を使用する．特にハイリスク手技（高感染性組織・臓器を直接扱う手技）を行う場合は，ICTへ連絡する（使用した器具の滅菌方法に注意が必要なため，必ず連絡する） 超音波などの医療機器は防性のシートで覆い汚染しないようにする 軟性内視鏡の使用は避ける（有効な滅菌法が存在しない） 高額器材などで消毒が必要な場合はICTに連絡する 脳脊髄液の採取時はアイシールドを使用する 非侵襲的医療行為・看護ケアにおいては標準予防策を遵守する（個室を用いる必要はない） 観血的処置を伴う対診はCJDの疑いがあることを情報伝達する

消毒・衛生管理

身体の清潔	滲出液などの漏れがなければ共用の浴室での感染はない．浴室の清掃は通常清掃．褥瘡などの滲出液がある場合は，創をドレッシングで被覆しシャワーのみ最後に行う
寝具・リネン類・寝衣	血液・体液などで汚染されたシーツ，リネン類は廃棄．廃棄不能の場合は，1〜5％の次亜塩素酸ナトリウム液に2時間浸漬後洗濯する．血液・体液などで汚染されていなければ，通常通り取り扱う ※ベッド・マットレスの消毒は特に行わない．
食器	通常通り
廃棄物	通常通り
排泄物	通常通り
便器	通常通り
清掃や洗浄	環境整備は通常通り実施する 床などを血液で汚染したときはディスポガーゼで拭き取り，その後次亜塩素酸ナトリウムを0.1％に希釈したもので消毒清拭する．もしくは，ペルオキシー硫酸水素ナトリウムで消毒する．それら使用したものは環境汚染しないようビニール袋に入れ，密封し，医療廃棄物へ
手指衛生	通常の手指衛生で対応可能
診療器具・看護用品	非侵襲的医療行為・看護ケアに使用するものは通常通り（個人専用にできるものはする）

汚染事故発生時の対応

針刺し・切創，皮膚・粘膜曝露時の対応に準ずる（作業を中断し流水にて洗浄し，速やかにICTに報告）．

14 メチシリン耐性黄色ブドウ球菌 (MRSA)

基本情報

病原体	：メチシリン耐性黄色ブドウ球菌(methicillin-resistant *Staphylococcus aureus*)
潜伏期間	：保菌から発症までの期間は不定
感染の可能性	：黄色ブドウ球菌はヒトの常在菌である．特に，鼻腔・皮膚などから検出される．接触感染と保菌者からの内因性感染がおもな感染経路
感染時の症状	：易感染状態の患者(褥瘡・熱傷・白血球減少患者・手術後)では，皮膚・軟部感染症，肺炎，腸炎，敗血症などを起こす
合併症	：感染症の種類により異なる
検査	：各種培養検体の細菌培養と感受性試験
治療	：抗MRSA薬による
感染防止対策	：標準予防策・接触感染予防策・飛沫感染予防策．可能であれば個室隔離．特に，MRSA感染症を起こし，完全に感染巣からの菌の飛散が防止できない場合は個室適応(喀痰からMRSAが検出されている，広範囲に皮膚病変がある，気管切開がある，便失禁があるなど)．行動制限として，できるだけ病室内．対診などは，事前に連絡を入れる 菌量の少ない保菌者は，同室に易感染状態の患者がいなければ，個室対応の必要性は低い．MRSA検出患者を同一部屋に集めること(コホーティング)も可

消毒・衛生管理

身体の清潔	最後に入浴．浴室の清掃は通常清掃
寝具・リネン類・寝衣	退院後ベッド洗浄(ベッドセンターにて熱水消毒) 血液・体液・排泄物が付着したリネン類は感染性リネン扱いに準ずる 衣類は病棟の洗濯機・乾燥機を使用可能(高温で乾燥させる)
食器	通常通り
廃棄物	通常通り
排泄物	通常通り
便器	使用ごとに熱水消毒(ベッドパンウォッシャー)または0.05〜0.1%次亜塩素酸ナトリウムに30分間浸漬消毒を行う
清掃や洗浄	環境整備は通常通り実施する．高頻度接触面は1日1回以上清掃する 清掃には環境清掃用ウェットクロスを用い2度拭きをする
手指衛生	通常の手指衛生で対応可能．特に入室前後，排泄物を取り扱った後の徹底が重要
診療器具・看護用品	個人専用とする．退院後は環境清掃用ウェットクロスで清拭清掃する

MRSA保菌者について

職員：医療従事者においてもMRSAを保菌している者が10〜20%いる．定期的な鼻腔などの検査は実施しないが，自らが感染源になりうることを自覚して診療に従事する．

患者：保菌の確認目的で，すべての患者にルーチンで検査は行わない．以前にMRSAが検出された場合や，今後の治療によってMRSA感染症の危険が高い場合はこの限りではない．保菌が確認された場合，除菌を試みる必要があることがある．

15 基質特異性拡張型βラクタマーゼ (ESBL)産生菌

基本情報

概要	：ESBL（extended spectrum β-lactamase：基質特異性拡張型βラクタマーゼ）は，細菌が産生する酵素で抗菌薬を加水分解し薬剤の効果を低下させる作用をもつ ESBL産生遺伝子がプラスミド上に存在するため，菌種間でも伝播していく可能性があり，病院感染対策上重要である
細菌検査結果表記方法	：*Escherichia coli*（ESBL），*Klebsiella pneumoniae*（ESBL），*Klebsiella oxytoca*（ESBL），*Proteus mirabilis*（ESBL）
潜伏期間	：保菌から発症までの期間は不定
感染の可能性	：重篤な患者やデバイスを使用している患者に発生しやすい
感染時の症状	：菌の定着の部位により異なる
合併症	：感染症の種類により異なる
検査	：各種培養検体の細菌培養と感受性試験
治療	：カルバペネム系抗菌薬が治療の中心となる
感染防止対策	：原則個室管理．接触感染予防策の遵守が必要．個室管理解除はICTと要相談 処置・検査・リハビリはできる限り病室内で実施し，行動制限する．対診などは，事前に連絡を入れる

消毒・衛生管理

身体の清潔	最後に入浴．浴室の清掃は通常清掃
寝具・リネン類・寝衣	退院後ベッド洗浄（ベッドセンターにて熱水消毒） 血液・体液・排泄物が付着したリネン類は感染性リネン扱いに準ずる 衣類は病棟の洗濯機・乾燥機を使用可能（高温で乾燥させる）
食器	通常通り
廃棄物	分別は通常通り．廃棄物は病室内で密封してから病室外へ出す
排泄物	通常通り．蓄尿は原則禁止．尿から検出されている場合には，可能な限り，尿道カテーテルを抜去
便器・尿器	便器・尿器は個人専用とする．使用ごとに熱水消毒（ベッドパンウォッシャー）または0.05〜0.1％次亜塩素酸ナトリウムで30分間浸漬消毒を行う
清掃や洗浄	環境整備は通常通り実施する．高頻度接触面は1日1回以上清掃する 清掃には環境清掃用ウェットクロスを用い2度拭きをする
手指衛生	厳重な手指衛生を行う．特に入室前後，排泄物を取り扱った後の徹底が重要
診療器具・看護用品	個人専用とする．退院後は環境清掃用ウェットクロスで清拭清掃する 尿バッグ，尿廃棄容器，内視鏡器具や洗浄機，人工呼吸器などは感染拡大のリスクになりやすいため取り扱いに注意する

16　カルバペネム耐性腸内細菌科細菌 (CRE)

感染症法5類感染症．診断後7日以内に保健所への届け出が義務づけられている

基本情報

定義	：カルバペネム系抗菌薬に対する耐性を獲得した腸内細菌．具体的には次の①または②のいずれかを満たした場合 　　①メロペネムのMIC 2 μg/mL以上 　　②イミペネムのMIC 2 μg/mL以上かつセフメタゾールのMIC 64 μg/mL以上
病原体	：肺炎桿菌，大腸菌，セラチア属菌，エンテロバクター属菌，シトロバクター属菌など
潜伏期間	：保菌から発症までの期間は不定
感染の可能性	：検出頻度はリスク因子(長期の広域抗菌薬使用・人工呼吸器管理・外科手術・免疫抑制・長期入院・ICU入室)の者に多い
感染時の症状	：菌の定着の部位により異なる(検出頻度が高い検体：喀痰，気管支吸引痰，排泄物，手術創，ドレーン廃液など)
合併症	：感染症の種類により異なる
検査	：各種培養検体の細菌培養と感受性試験
治療	：感染症内科に相談
感染防止対策	：原則個室管理．接触感染予防策や飛沫感染予防策を検出された部位に応じて行う．病院感染やアウトブレイクに注意が必要．個室管理解除はICTと要相談 処置・検査・リハビリはできる限り病室内で実施し，行動制限する．対診などは，事前に連絡を入れる

消毒・衛生管理

身体の清潔	最後に入浴．浴室の清掃は通常清掃
寝具・リネン類・寝衣	退院後ベッド洗浄(ベッドセンターにて熱水消毒) 血液・体液・排泄物が付着したリネン類は感染性リネン扱いに準ずる 衣類は病棟の洗濯機・乾燥機を使用可能(高温で乾燥させる)
食器	通常通り
廃棄物	分別は通常通り　廃棄物は病室内で密封してから病室外へ出す
排泄物	通常通り
便器・尿器	便器・尿器は個人専用とする．使用ごとに熱水消毒(ベッドパンウォッシャー)または0.05〜0.1％次亜塩素酸ナトリウムで30分間浸漬消毒を行う
清掃や洗浄	環境整備は通常通り実施する．水回りの清掃を重点的に行う 高頻度接触面は1日1回以上清掃する 清掃には環境清掃用ウェットクロスを用い2度拭きをする
手指衛生	厳重な手指衛生を行う．特に入室前後，排泄物を取り扱った後の徹底が重要
診療器具・看護用品	個人専用とする．退院後は環境清掃用ウェットクロスで清拭清掃する

17 カルバペネム耐性緑膿菌

基本情報

病原体	：緑膿菌（*Pseudomonas aeruginosa*）
潜伏期間	：保菌から発症までの期間は不定
感染の可能性	：感染の可能性はリスク因子（外科手術・免疫抑制・長期入院・ICU入室）の多い者が高い
感染時の症状	：菌を検出した部位により異なる
合併症	：感染症の種類により異なる
検査	：各種培養検体の細菌培養と感受性試験
治療	：感受性のある抗菌薬による治療．状況により感染症内科に相談
感染防止対策	：原則個室管理．接触感染予防策の遵守が必要．個室管理解除はICTと要相談
	処置・検査・リハビリはできる限り病室内で実施し，行動制限する．対診等は，事前に連絡を入れる

消毒・衛生管理

身体の清潔	最後に入浴．浴室の清掃は通常清掃
寝具・リネン類・寝衣	退院後ベッド洗浄（ベッドセンターにて熱水消毒） リネン類は血液・体液が付着したものは，感染性リネン扱いに準ずる 衣類は病棟の洗濯機・乾燥機を使用可能（高温で乾燥させる）
食器	通常通り
廃棄物	通常通り
排泄物	通常通り
便器	個人専用とする．使用ごとに熱水消毒（ベッドパンウォッシャー）または0.05〜0.1％次亜塩素酸ナトリウムで30分浸漬消毒を行う
清掃や洗浄	環境整備は通常通り実施する．高頻度接触面は1日1回以上清掃する 清掃には環境清掃用ウェットクロスを用い行う
手指衛生	通常の手指衛生で対応．特に入室前後，処置等行った後の徹底が重要
診療器具・看護用品	個人専用とする．退院後は環境清掃用ウェットクロスで清拭清掃する

18 多剤耐性緑膿菌（MDRP）

☞ 必ずICTに連絡し対応をとる

基本情報

定義	：カルバペネム（イミペネム），アミノ配糖体（アミカシン），フルオロキノロン（シプロフロキサシン）の3系統の薬剤に対して耐性を示す緑膿菌* （イミペネムMIC≧16μg/mL，アミカシンMIC≧32μg/mL，シプロフロキサシンMIC≧4μg/mL）
病原体	：緑膿菌（*Pseudomonas aeruginosa*）
潜伏期間	：保菌から発症までの期間は不定
感染の可能性	：検出頻度はリスク因子（長期の広域抗菌薬使用・長期尿道カテーテル留置・外科手術・免疫抑制・長期入院・ICU入室）の多い者が高い
感染時の症状	：菌の定着の部位により異なる
合併症	：感染症の種類により異なる
検査	：各種培養検体の細菌培養と感受性試験
治療	：感染症内科と相談
感染防止対策	：原則個室管理とし，標準予防策＋接触感染予防策や飛沫感染予防策を実施する．個室管理の解除はICTと相談

*イミペネム以外のカルバペネム系薬剤，シプロフロキサシン以外のフルオロキノロン系薬剤の耐性でも基準を満たすものとする

消毒・衛生管理

身体の清潔	最後に入浴．浴室の清掃は通常清掃
尿の管理・膀胱洗浄	蓄尿は原則禁止．尿から検出されている場合には，可能な限り，尿道カテーテルを抜去 膀胱洗浄は専門医師の指示のもと治療的に実施
寝具・リネン類・寝衣	汚染したリネン類は，水溶性ランドリーバッグに入れて洗濯へ出す．マットレスやベッドは，感染扱いでベッドセンターに洗浄に出す
食器	通常通り
廃棄物	通常通り
排泄物	通常通り
便器	ベッドパンウォッシャーで熱水洗浄消毒．または，0.05～0.1％次亜塩素酸ナトリウムに30分間浸漬消毒する
清掃や洗浄	環境清掃は通常通り実施する．特に水回りの清掃を重点的に行う 洗浄用スポンジは原則使用禁止．ディスポガーゼなどで洗浄し毎回廃棄．やむを得ずスポンジを使用する場合は，単回使用とする
手指衛生	厳重な手指衛生
診療器具・看護用具	尿バッグ，尿廃棄容器，内視鏡器具や洗浄機，人工呼吸器などは感染拡大のリスクになりやすいため取り扱いに注意する

19 多剤耐性アシネトバクター（MDRAB）

☞ 必ずICTに連絡し対応をとる

基本情報

定義	：カルバペネム（イミペネム），アミノ配糖体（アミカシン），フルオロキノロン（シプロフロキサシン）の3系統の薬剤に対して耐性を示すもの*
	（イミペネムMIC≧16μg/mL，アミカシンMIC≧32μg/mL，シプロフロキサシンMIC≧4μg/mL）
病原体	：アシネトバクター属菌（*Acinetobacter sp.*）
潜伏期間	：保菌から発症までの期間は不定
感染の可能性	：検出頻度はリスク因子（長期の広域抗菌薬使用・人工呼吸器管理・外科手術・免疫抑制・長期入院・ICU入室）の多い者が高い
感染時の症状	：菌の定着の部位により異なる
合併症	：感染症の種類により異なる
検査	：各種培養検体の細菌培養と感受性試験
治療	：感受性の残っている抗菌薬（時に併用）による
感染防止対策	：個室管理とし，標準予防策＋接触感染予防策や飛沫感染予防策．病院感染やアウトブレイクに注意が必要

*イミペネム以外のカルバペネム系薬剤，シプロフロキサシン以外のフルオロキノロン系薬剤の耐性でも基準を満たすものとする

消毒・衛生管理

身体の清潔	最後に入浴．浴室の清掃は通常清掃
寝具・リネン類・寝衣	汚染したリネン類は，水溶性ランドリーバッグに入れて洗濯へ出す．マットレスやベッドは，感染扱いでベッドセンターに洗浄に出す
食器	通常通り
廃棄物	通常通り
排泄物	通常通り
便器	ベッドパンウォッシャーで熱水洗浄消毒．または，0.05～0.1%次亜塩素酸ナトリウムで30分間浸漬消毒する
清掃や洗浄	本菌は乾燥環境でも湿潤環境でも生息しうるため，乾燥した環境表面は頻回の清掃や消毒に努める
手指衛生	厳重な手指衛生
診療器具・看護用具	個人専用とする．専用でないものは，その都度エタノールで消毒する 尿バッグ，尿廃棄容器，内視鏡器具や洗浄器具，人工呼吸器などは清潔に取り扱う

⑳ バンコマイシン耐性腸球菌（VRE）

☞　必ずICTに連絡し対応をとる

基本情報

定義	：バンコマイシンのMIC≧16μg/mLの耐性を示す腸球菌
病原体	：腸球菌属菌（*Enterococcus sp.*）
潜伏期間	：保菌から発症までの期間は不定
感染の可能性	：VRE感染の高リスク因子として，長期入院，ICU入室，免疫不全状態，グリコペプタイド系抗菌薬（バンコマイシン，テイコプラニン）の長期投与，過去のVRE検出歴などがあげられる
感染時の症状	：腸球菌は腸管の常在菌であり病原性は低く，健常人で感染症を惹起することはほとんどない．ただし入院患者では，尿路感染症，血管留置カテーテル感染，創部感染をきたすことがある．感染経路としては，「患者→職員の手指→ほかの患者」「患者・職員の触れた物品→職員の手指→ほかの患者」の伝播がほとんどである
合併症	：感染症の種類により異なる
検査	：各種培養検体の細菌培養と感受性試験
治療	：感受性のある抗菌薬による
感染防止対策	：VREが臨床検査材料（感染者の感染局所，保菌者の排泄物）から分離された場合には，VREを含む排泄物などを介して環境汚染，病院感染が広がらないように対策をとる．病室は，個室隔離とする（トイレつき個室が望ましい）．個室隔離困難な場合，VRE検出患者を同一部屋に集めること（コホーティング）も可．処置・検査・リハビリはできる限り病室内で実施する．できるだけ病室内に行動を制限する．対診などは，事前に連絡を入れる

消毒・衛生管理

身体の清潔	最後に入浴．浴室の清掃は通常清掃
尿の管理・膀胱洗浄	蓄尿は原則禁止．尿から検出されている場合には，可能な限り，尿道カテーテルを抜去
寝具・リネン類・寝衣	ベッド周りは環境清掃用ウェットクロスにて清拭清掃．マットレスも含めたベッドの消毒は，ベッドセンターへ依頼．痰などの体液で汚染した場合は感染性リネンとして取り扱う
食器	通常通り
廃棄物	分別は通常通り．廃棄物は病室内で密封してから病室外へ出す
排泄物	取り扱いには個人防護具（PPE）を使用し，汚染を周囲に広げない
便器・尿器	便器・尿器は個人専用とする．使用ごとに熱水洗浄（ベッドパンウォッシャー）消毒または0.05～0.1％次亜塩素酸ナトリウムで30分間浸漬消毒する
清掃や洗浄	環境整備は通常通り実施する．特に水回りの清掃を重点的に行う．高頻度接触面は，環境清掃用ウェットクロスで1日1回以上清掃する
手指衛生	厳重に手指衛生を行う．患者にも手指衛生教育を実施する
診療器具・看護用具	個人専用とする．専用でないものは，その都度エタノールで消毒する

VRE保菌者について

職員：医療従事者の腸管VRE保菌は起こりにくく，原則的には保菌調査は必要ない．

患者：患者から検出された場合，必要に応じて診療科とICTの協議のうえで，そのほかの入院患者に対して便培養を行い，VRE保菌の有無を確認する．無症状の保菌者への対応は，診療科とICTで適宜検討する．

㉑ 新型コロナウイルス（COVID-19）

☞ 感染症法5類感染症．インフルエンザ/COVID-19定点医療機関のみ報告

基本情報

病原体	：コロナウイルス科βコロナウイルス属（SARS-CoV-2）．エンベロープを有するCOVID-19
潜伏期間	：1～7日（中央値2～5日程度）
感染の可能性	：感染力は非常に強い．発症前2日から発症後7～10日間程度（重症例は15～20日程度），咳などにより飛沫でウイルスの排泄があるとされている 健常者の場合，発症後10日目を目安とし，マスクの着用や手指衛生の徹底，ハイリスク者との面会など接触を控える 免疫不全者などはウイルスの排出期間が延長することもあるが，感染対策（手指衛生，サージカルマスク，N95マスク等）を講じて対応することで感染の伝播は制御可能である
感染経路	：おもな感染経路は飛沫感染および接触感染であり，挿管・抜管・気管支鏡・吸引などエアロゾルが発生する際は，空気感染の可能性がある
症状	：発熱，咽頭痛，咳嗽，鼻汁，消化器症状，倦怠感等
臨床経過	：発症から1週間程度風邪様症状を呈し，約80％はそのまま治癒される．約20％が肺炎症状を増悪し，約2～3％が重症化するとされる
検査	：検査の必要性は主治医が判断する 療養が終了した後の検査は原則不要であるが，各診療科の判断や診療領域のガイドラインに準じる PCR検査：下気道検体（痰），採取不可能であれば上気道検体（鼻咽腔もしくは咽頭） 　　　　　採取後は速やかに検査部細菌検査室に提出（夜間は検査部の冷蔵庫に保管）
治療	：呼吸不全進行時には関連する診療科と協議すること
療養の目安	：発症日を0日目として5日間，かつ解熱，咽頭痛などの症状軽快後24時間経過するまで療養とする（職員は就業制限） 　※無症状の場合は検体採取日を0日目とする 　※発症より6日目以降はウイルスの排出が減少するが，ゼロとはならないため10日目まではマスクの着用や手指衛生の徹底，会食の自粛を行うこと 免疫不全者などではウイルスの排出期間が延長することがあり，特殊な患者に関する対応については各診療領域のガイドラインに準拠する
陽性者との接触者	：陽性者がマスクをしていない状態で1m以内の範囲に15分以上の滞在をした場合，または医療者がN95マスクを使用しない状況で挿管や吸引などを行った場合（時間に関係なく），感染のリスクが高まるため対象者は最終接触日から潜伏期間中（7日間）は健康観察を行うこと 健康観察の期間中に体調不良となった際，患者であれば院内で検査する．多床室で発生した場合は，その期間中はコホートし，転室は行わない．また同室への新規入室は禁止する 体調不良の職員等は近医を受診する．もしくは市販の検査キットにて自己検査を行うこと 接触者に勤務制限や行動制限はない
感染防止対策	：飛沫感染対策＋接触感染対策（エアロゾル発生の可能性があるときは空気感染対策） 患者は退院が可能であれば実施する．退院不可能な場合は療養期間中個室隔離 同時に複数人発症した場合は同室に集団隔離（コホーティング）とし，ほかの多床室への転室を禁止する．また，同室への新規入室は停止する 患者は可能な限りサージカルマスクを着用する 患者への面会は必要最低限に制限する（面会者のPPEは図D-4を参考にする）
個人防護具	：図D-4参照

消毒・衛生管理

身体の清潔	最後に入浴する. 浴室の清掃は通常清掃
寝具・寝衣・リネン類	退室後のベッドやマットレスはベッドセンターにて洗浄・消毒する リネン類は, 通常通りの処理でよい. 血液や体液で汚染された場合, 感染性リネンとして水溶性ランドリーバッグに入れ洗濯する 患者の私物を自宅で洗濯する場合は, ほかの家族と別にして通常の洗濯と乾燥でよい
食器 (哺乳瓶含む)	通常通り(ディスポ食器を使用する必要はない)
廃棄物	通常通り(すべて感染性廃棄物にする必要はない)
排泄物	通常通り
洗浄・消毒・滅菌	一般的な洗剤を用いた洗浄と乾燥でよい. また消毒薬は下記であればいずれでもよい ウイルスの不活化を目的として, 特別に滅菌処理をする必要はない 0.05～0.1%次亜塩素酸ナトリウム, ペルオキソー硫酸水素カリウム, 消毒用エタノール, 第四級アンモニウム塩化物のいずれかにて消毒する
手指衛生	擦式消毒用エタノール製剤が有効である 目にみえる汚染がある場合は流水と石けんによる手洗いを併用する
診療器具・看護用品	体温計, 血圧計などは患者専用にし, 使用後は消毒をする

職員等が罹患した場合, 感染症罹患報告を行う.

対処・対応

患者搬送	特別な搬送経路を通る必要はない 患者がサージカルマスクと手指衛生を実施できる場合は行ってから搬送を行う 患者がサージカルマスクをつけられない状況の場合は, 医療者などがサージカルマスク等(状況によりN95マスク)を装着する 挿管されている場合はバクテリアフィルターを装着させ搬送する
検体	採血スピッツや培養検体などは, ほかの検体と同様に衛生的に取り扱う
生理検査	呼吸機能検査はほかの患者に影響が少なくなるよう, その日の最後に実施できるよう調整する 医療者の個人防護具(PPE)は図D-4に準じて装着する 検査終了後, 20分は換気し, 清掃・消毒を行う(部屋の換気量により換気時間は個別に変動あり)
画像検査	X線撮影は原則ポータブル装置を用いる CT撮影は事前に撮影時間を調整する. PPEは図D-4に準じる 検査・処置終了後, 20分換気し, 清掃・消毒等を行い次の患者対応を行う
リハビリテーション	理学療法, 作業療法, 言語療法, それぞれ個室にて実施する 医療者のPPEは図D-4に準じて装着する
内視鏡室	陰圧対応の検査室を使用する 医療者のPPEは図D-4に準じて装着する 検査・処置終了後, 20分換気し, 清掃・消毒等を行い次の患者対応を行う
透析	陰圧個室にて実施する 医療者のPPEは図D-4に準じて装着する 透析終了後, 20分換気し, 清掃・消毒等を行い次の患者対応を行う

手術	陰圧対応可能な手術室で行う 挿抜管時はN95マスクとアイシールドを装着する 挿管後はバクテリアフィルターを装着して換気することでウイルスの排出を防ぐ 手術にかかわる医療者を限定し，手術室への出入りを極力制限する 陰圧手術室は1時間に70回以上の換気がされているため特に換気時間を設ける必要はない
妊産婦	隔離期間などは「療養の目安」(p.79)に準じる 妊婦や胎児の状況により，経腟分娩・帝王切開等を行う．その際，必ずしも陰圧室である必要はない（COVID-19であることのみをもって帝王切開の判断は行わない）
新生児	COVID-19の妊婦から出生した新生児は通常の新生児と同等の対応を行う 必要に応じて，医師の判断によりPCR検査，抗原定量検査などを実施し，感染対策を実施する 新生児が陽性となった場合の隔離期間などは「療養の目安」(p.79)に準じる

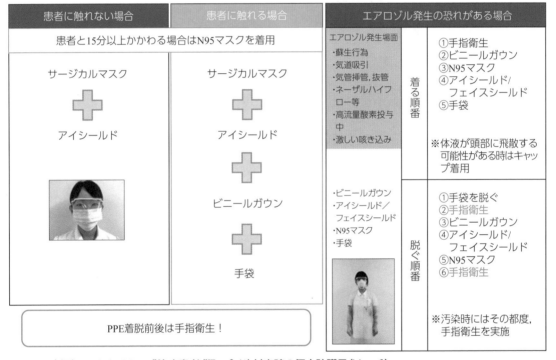

図 D-4　新型コロナウイルス感染症患者(疑い含む)対応時の個人防護具(Ver. 6)

🔍 外来患者のCOVID-19発生時の対応（図D-5）·······································

▶ 病院感染対策上の基本的な考え方

①患者は可能な限り診察室など個室収容（推奨）し，飛沫感染予防策・接触感染予防策・（エアロゾル発生手技時）空気感染予防策を遵守する．

②外来患者で2次感染が疑われる場合は，直ちにICTへ連絡する．

③患者付き添いがない場合，可能であれば会計は次回精算とし速やかな帰宅を促す．

```
                    ┌─────────────────────────┐
                    │ COVID-19である（疑いも含む）  │
                    └─────────────────────────┘

                 ┌───────────────────────────────┐
                 │ クラーク，看護師によるトリアージ        │
                 │ 発熱（37.5℃以上）の有無を患者より聴取   │
                 └───────────────────────────────┘
```

感染が確定するまでの　　　　　　　　　　　　　　検査　　　　　　　　　優先診察
　　　防御と隔離

| 患者はサージカルマスクを着用し，検査結果が確定するまでは以下の方法で待機
・空いている診療ブース
・処置室側のスタッフ通路（椅子を用意）
・カーテンで仕切った処置室ベッドなど | ① COVID-19抗原検査用検体採取
② 検査オーダー入力
③ 検体を届ける | ① 優先的に対応する
② 医療従事者は必要な防護具を着用し対応（図D-4） |

検査結果

| 検査部：①陽性の場合，直ちに電話で主治医へ報告
　　　　②診療カルテに結果を報告
部　署：電子カルテの『検査結果参照』にて確認 |

```
        陽性                          陰性

  ┌──────────────────────┐      ┌──────────┐
  │ 医師：①患者・スタッフに結果を伝える  │      │ 通常診察  │
  │      ②患者に症状や注意点を説明する  │      └──────────┘
  │      ③必要時，薬の処方          │
  └──────────────────────┘

            会計
```

| 付き添いあり：①付き添い者に会計を依頼
　　　　　　　②患者は精算が済むまで待機
付き添いなし：①会計は次回精算となることを説明
　　　　　　　②受診票は「感染症のため次回精算」と記載し医事課回収箱に入れる |

図D-5　当院の外来患者のCOVID-19発生時の対応（フローチャート）

🔍 入院患者のCOVID-19発生時の対応 (図D-6) ・・・・・・・・・・・・・・・・・・・・・・・・・・

▶ 病院感染対策上の基本的な考え方

①患者は個室収容し,飛沫感染予防策・接触感染予防策・(エアロゾル発生手技時)空気感染予防策を遵守する.
②同時に複数人発症した場合は同室に集団隔離することも可(コホーティング).
③入院患者で2次感染が疑われる場合は,直ちにICTへ連絡する.

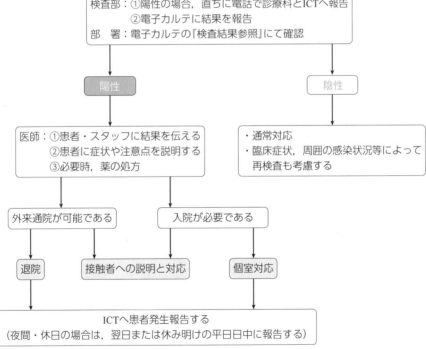

図D-6 当院の入院患者のCOVID-19発生時の対応(フローチャート)

🔍 職員のCOVID-19発生時の対応（図D-7） •

▶ 病院感染対策上の基本的な考え方

①COVID-19と診断された職員は発症した後5日を経過し，かつ解熱した後24時間までは就業制限．
②発症後10日間はサージカルマスクの着用など各自感染予防行動を心がける．

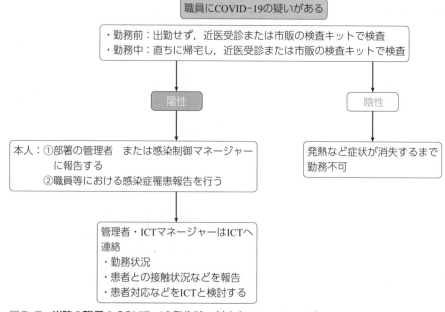

図D-7　当院の職員のCOVID-19発生時の対応（フローチャート）

22 SARS・MERS

☞ 感染症法2類感染症. 診断後直ちに保健所への届け出が義務づけられている.

基本情報

病原体	:コロナウイルス科βコロナウイルス属(SARS-CoV). エンベロープあり SARS(重症急性呼吸器症候群)・MERS(中東呼吸器症候群)
潜伏期間	:2〜14日(中央値5日程度)
感染の可能性	:おもな感染経路は飛沫感染および接触感染. 空気感染する十分な根拠は示されていないが, 感染 経路が完全に解明されていない点と致死率が高い点から, 空気感染対策を併用する
感染時の症状	:38℃以上発熱, 咳嗽, 息切れ, 消化器症状等
検査	:基本は保健所職員が持参した採取容器を使用. 院内の採取容器を使用する場合は, 密閉可能な空 の滅菌容器を使用し, 検体を入れた後に生理食塩水を数滴垂らす 可能な範囲で下気道検体を2セット採取 拭い液を採取する場合は, 保健所職員が持参する拭い液採取キットを使用
治療	:対症療法
感染防止対策	:飛沫感染+接触感染+空気感染予防策 飛沫+空気感染予防策:気管挿管, 気道吸引, 喀痰検体採取時等はエアロゾルが発生する可能性 　　　　　　　　　があり, 確実にN95マスクを装着し対応する 接触感染予防策:患者の痰, 糞便, 尿からのウイルス検出あり. 接触時には, 手袋・ガウン・ア 　　　　　　　イシールドを確実に装着
個人防護具	:N95マスク・アイシールド・キャップ・ガウン・手袋を着用 注意点:N95マスク着用時は毎回シールチェックを行う. 防護具を脱いだ後の手指衛生を確実に 　　　実施する 患者は原則サージカルマスク着用, 挿管患者はバクテリアフィルターを装着する
隔離	:陰圧個室隔離. 退室後の病室は換気する

消毒・衛生管理

身体の清潔	清拭タオル使用禁止. ディスポタオルを使用. 陰圧個室に設置されているシャワーのみ使 用. 使用後の清掃は通常通り
寝具・リネン類・ 寝衣	リネン類は, 汚染の程度にかかわらずすべて感染性リネン扱いとする 退室後はベッド洗浄へ出す
食器	ディスポ食器を使用する. 不足の場合は通常の食器を使用し洗浄・消毒を徹底する お盆は患者専用として初回配膳時に1枚多く提供し, 病棟で消毒・管理する
廃棄物	分別は通常通り. 廃棄物は病室内で密閉し容器の外周を消毒してから病室外へ出す
排泄物	排泄物を取り扱う場合には接触感染対策を実施する
清掃や洗浄・消毒	ベッド周囲環境などは, 0.05〜0.1%次亜塩素酸ナトリウムやペルオキシ一硫酸水素カリウ ム等で消毒する 床清掃は通常通り
手指衛生	擦式消毒用エタノール製剤を用いる. 目にみえる汚染がある場合と, 排泄介助後は流水と 石けんによる手指衛生
診療器具・ 看護用品	患者専用にする 材料部に提出する際は, 器具をビニール袋に入れ, 袋に(SARSやMERS)と記載する

対応・対策

患者搬送	検査等に伴う患者搬送は原則行わない．やむを得ない場合は，患者にサージカルマスクを装着し，ほかの患者と時間的，空間的交差がないように配慮．移送先には事前連絡し，適切な対応が取れるようにする
画像検査	ポータブルX線撮影装置を用いる．技師が着用する個人防護（PPE）は上記PPEと同じ CT撮影時は患者へサージカルマスクを装着させる．気管挿管中はバクテリアフィルターを使用する．撮影機器は，カバー等を使用する．破棄できない器具は，0.05〜0.1％次亜塩素酸ナトリウムまたはペルオキソ一硫酸水素カリウムで清拭消毒する

23 エムポックス（サル痘）

☞　感染症法4類感染症．診断後直ちに保健所への届け出が義務づけられている

基本情報

病原体	：オルソポックスウイルス属サル痘ウイルス．エンベロープを有する コンゴ盆地クレード（死亡率10%程度），西アフリカクレード（死亡率1%程度）
潜伏期間	：6〜13日（最大5〜21日），中央値8.5日
感染可能期間	：皮疹出現5日前から皮疹が消失するまで
感染経路	：おもには接触感染，飛沫感染である．まれに空気感染（水痘や麻疹と鑑別ができない間は空気感染対策を行う） 感染したヒトや動物の皮膚病変・体液・血液との接触（性的接触を含む），患者との接近した対面での飛沫への曝露によってヒト-ヒト感染する
症状	：発熱（38.5℃以上），頭痛，背中の痛み，重度の脱力感，リンパ節腫脹，筋肉痛，咽頭痛，肛門直腸痛，倦怠感，そのほかの皮膚粘膜病変
隔離解除	：すべての皮疹が痂皮となり，すべての痂皮が剥がれ落ちてなくなるまで（概ね21日間程度）
診断	：水疱や膿疱の内容液や蓋，あるいは組織を用いたPCR検査で遺伝子を検出する 詳細情報は別途ICTに相談する．検体は保健所に連絡し行政検査となる
治療	：対症療法 合併症として細菌性肺炎や蜂窩織炎を発症することがある 病変による疼痛が強い場合があるため，適宜鎮痛薬を使用する
曝露後予防（ワクチン）	●天然痘ワクチンについては，臨床研究として接触後14日以内に接種を行うこととされ，行政通知に従い対応する（国立国際医療研究センターの研究責任者/分担医師の判断） ●接触リスクの高い者に対する曝露前ワクチン接種については，行政通知に従い対応する ワクチンの副反応：接種部位の局所反応，および接種10日前後の発熱，発疹，腋窩リンパ節腫脹など
個人防護具	：手袋，N95マスク，アイシールド，ガウン，キャップ
隔離	：原則個室隔離とする

消毒・衛生管理

身体の清潔	病室に設置されているシャワーを使用する．また清拭はディスポタオルを使用する 浴室の清掃は通常通り
寝具・リネン類・寝衣	退室後のベッドやマットレスはベッドセンターにて洗浄・消毒する リネン類は，汚染の程度にかかわらずすべて感染性リネン扱いとする 病室のカーテンなど汚れていた場合は交換する 患者が自宅で洗濯する場合は，ほかの家族と別にして洗濯し，乾燥させる
食器 （哺乳瓶含む）	ディスポ食器を使用する．不足の場合は通常の食器を使用し洗浄・消毒を徹底する お盆は患者専用として初回配膳時に1枚多く提供し，病棟で消毒・管理する
廃棄物	廃棄物はすべて感染性廃棄物とする．病室外へ出し容器の外周を消毒する
排泄物	排泄物を取り扱う場合には接触感染対策を実施する

洗浄・消毒・滅菌	洗浄：器具・リネン・食器等は，原則温度80℃以上，洗浄時間10分以上とする．尿器・便器等は洗浄・消毒する．またはディスポ製品を使用する
	消毒：0.05〜0.1％次亜塩素酸ナトリウム，ペルオキソ一硫酸水素カリウム，消毒用エタノールのいずれかにて消毒する
	滅菌：滅菌物の取り扱いは材料部に確認する
手指衛生	擦式消毒用エタノール製剤が有効
	目にみえる汚染がある場合は流水と石けんによる手洗いを併用
診療器具・看護用品	患者専用にし，使用後は消毒をする

症例定義や接触状況による感染リスクのレベル，ワクチンなどの対応については行政通知等を参考に判断する．

対応・対策

患者搬送	患者搬送の際はエレベーターを専用とする
	搬送中，接触し汚染した可能性のある環境は上記を参考に消毒する
画像検査	X線撮影は原則ポータブル装置を用いる
	CT撮影は事前に撮影時間を調整する
検査検体の提出	ほかの検体と同様に衛生的に取り扱う
材料部への提出	使用後の器材は材料部で用意する容器に入れ，外周を消毒し，その上にビニール袋をかけビニール袋に直接「感染」と記載して提出する
自宅等における感染対策	免疫不全者，妊婦，12歳未満の小児との接触を控える
	発症中は他人の肌や顔との接触，性的接触を控える．また，症状が消失した後もコンドームの着用等，性感染のリスク回避を指導する
	他者との寝具，タオル，食器の共用を避けるよう指導する
	エタノール等の消毒薬を使用した手指衛生を行うことを指導する
接触者の対応について	患者との接触後21日間は体調に注意し，発症後は速やかに医療機関を受診するよう主治医は説明する
	接触状況による感染リスクのレベルと対応については別途行政通知を参考にICTと協議のうえ，主治医が接触者に説明する

E 感染症患者発生報告

── résumé ──

1　法的届出の方法と連絡体制
2　感染症法対象疾患と届出(結核を含む)
3　学校保健安全法
4　患者・家族への対応基準
5　食中毒発生時の報告・連絡体制
　• 病院食提供による食中毒(疑いを含む)が発生した場合
　• 職員間での食中毒(疑いを含む)が発生した場合

Point

• 届出が必要な感染症一覧を掲載してあります.
• 院内での届出の具体的な手順を記載しておくと便利です.
• 届出疾患はときどき改訂されるので,そのたびごとにマニュアル改訂・院内周知を心がけましょう.

1 法的届出の方法と連絡体制

「感染症法対象疾患と届出」に基づき届出を実施する場合は“直ちに”または“7日以内”に保健所への届出が必要になる.

①1〜4類感染症は診断後“直ちに”主治医が書類を作成し届け出る.

②5類感染症，全数把握疾患は“7日以内”に主治医が書類を作成し届け出る.

　（5類定点疾患などについては，医療機関によっては届出が必要になる）

　届出の手順は図E-1を参照.

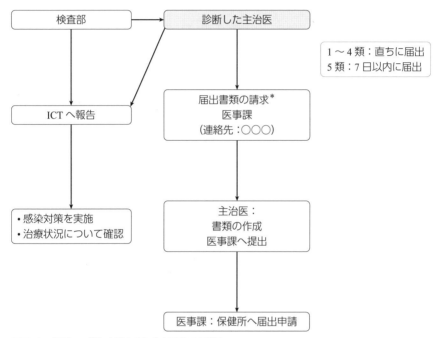

図E-1　当院の感染症法に基づく届出の手順
＊届出書類は，厚生労働省のホームページからダウンロード可能

▶ICTの対応

1）患者のいる部署（診療科）が，どのような治療や拡大防止策を実施しているかなどを確認し，必要時にはほかの部署や診療科に指示または協議する.

2）届出に関する法的事項の再確認.

3）病院感染予防対策上，高度な判断が必要な場合は，病院感染管理委員長（病院長）や保健所などへ相談し，確認する.

2　感染症法対象疾患と届出（結核を含む）

表E-1　分類と届出の対象となる感染症の種類

分類		感染症疾患名
1類感染症	診断後直ちに届出 就業制限あり	エボラ出血熱，クリミア・コンゴ出血熱，南米出血熱，マールブルグ病，ラッサ熱，痘そう（天然痘），ペスト
2類感染症	診断後直ちに届出 就業制限あり	急性灰白髄炎，ジフテリア，重症急性呼吸器症候群（SARSコロナウイルスに限る），鳥インフルエンザ（血清型がH5N1，H7N9であるものに限る），結核，中東呼吸器症候群（MERSコロナウイルスであるものに限る）
3類感染症	診断後直ちに届出 就業制限あり	腸管出血性大腸菌感染症，コレラ，細菌性赤痢，腸チフス，パラチフス
4類感染症	診断後直ちに届出	E型肝炎，ウエストナイル熱（ウエストナイル脳炎を含む），A型肝炎，エキノコックス症，黄熱，オウム病，回帰熱，Q熱，狂犬病，コクシジオイデス症，エムポックス（サル痘），腎症候性出血熱，炭疽，つつが虫病，デング熱，鳥インフルエンザ（H5N1およびH7N9は除く），ニパウイルス感染症，日本紅斑熱，日本脳炎，ハンタウイルス肺症候群，Bウイルス病，ブルセラ症，発しんチフス，ボツリヌス症，マラリア，野兎病，ライム病，リッサウイルス感染症，レジオネラ症，レプトスピラ症，オムスク出血熱，キャサヌル森林病，西部ウマ脳炎，ダニ媒介脳炎，東部ウマ脳炎，鼻疽，ベネズエラウマ脳炎，ヘンドラウイルス感染症，リフトバレー熱，類鼻疽，ロッキー山紅斑熱，チクングニア熱，重症熱性血小板減少症候群（病原体がフレボウイルス属SFTSウイルスであるものに限る），ジカウイルス感染症
5類感染症	全数把握疾患 診断後，直ちに届出	侵襲性髄膜炎菌感染症，麻しん，風しん
	全数把握疾患 診断から7日以内に届出	アメーバ赤痢，ウイルス性肝炎（E型肝炎およびA型肝炎を除く），急性脳炎（ウエストナイル脳炎，西部ウマ脳炎，ダニ媒介脳炎，東部ウマ脳炎，日本脳炎，ベネズエラウマ脳炎，リフトバレー熱を除く），クリプトスポリジウム症，クロイツフェルト・ヤコブ病，劇症型溶血性レンサ球菌感染症，後天性免疫不全症候群，ジアルジア症，先天性風しん症候群，梅毒，破傷風，バンコマイシン耐性黄色ブドウ球菌感染症，バンコマイシン耐性腸球菌感染症，侵襲性インフルエンザ菌感染症，侵襲性肺炎球菌感染症，カルバペネム耐性腸内細菌科細菌感染症，播種性クリプトコックス症，水痘（入院例に限る），薬剤耐性アシネトバクター感染症，急性弛緩性麻痺（急性灰白髄炎を除く），百日咳
	定点把握疾患は医療機関により届出が必要	**小児科**　RSウイルス感染症，咽頭結膜熱，A群溶血性レンサ球菌咽頭炎，感染性胃腸炎，水痘，手足口病，伝染性紅斑，突発性発疹，ヘルパンギーナ，流行性耳下腺炎 **眼科**　急性出血性結膜炎，流行性角結膜炎 **インフルエンザ/COVID-19**　インフルエンザ（鳥インフルエンザおよび新型インフルエンザ等感染症を除く），COVID-19 **性感染症**　性器クラミジア感染症，性器ヘルペスウイルス感染症，尖圭コンジローマ，淋菌感染症 **基幹**　感染性胃腸炎（病原体がロタウイルスであるものに限る），クラミジア肺炎（オウム病を除く），細菌性髄膜炎（インフルエンザ菌，髄膜炎球菌および肺炎球菌を原因として同定されたものを除く），マイコプラズマ肺炎，無菌性髄膜炎，ペニシリン耐性肺炎球菌感染症，メチシリン耐性黄色ブドウ球菌感染症，薬剤耐性緑膿菌感染症
新型インフルエンザ等感染症	全数把握疾患 診断後直ちに届出	新型インフルエンザ，再興型インフルエンザ，再興型コロナウイルス感染症
疑似症定点		感染症法14条第1項に規定する厚生労働省で定める疑似症 【定義】発熱，呼吸器症状，発しん，消化器症状又は神経症状を疑わせるような症状のうち，医師が一般的に認められている医学的知見に基づき，集中治療その他これに準ずるものが必要であり，かつ，直ちに特定の感染症と診断することができないと判断したもの

（https://www.mhlw.go.jp/stf/seisakunitsuite/bunya/kenkou_iryou/kenkou/kekkaku-kansenshou/kekkaku-kansenshou11/01.html）

③ 学校保健安全法

表E-2　学校保健安全法施行規則による感染症の種類と出席停止期間の基準

分類	感染症疾患名	出席停止期間（学校保健安全法施行規則第19条）
第1種	エボラ出血熱，クリミア・コンゴ出血熱，痘そう，ペスト，マールブルグ病，ラッサ熱，南米出血熱，急性灰白髄炎（ポリオ），ジフテリア，重症急性呼吸器感染症（SARSコロナウイルスに限る），中東呼吸器症候群（MERSコロナウイルスに限る），特定鳥インフルエンザ	治癒するまで ※感染症の予防及び感染症の患者に対する医療に関する法律第6条第7〜9項までに規定する「新型インフルエンザ等感染症」，「指定感染症」および「新感染症」は第1種の伝染病とみなす
第2種	インフルエンザ（特定鳥インフルエンザおよび新型インフルエンザ等感染症を除く）	発症した後5日を経過し，かつ解熱した後2日（幼児にあっては，3日）を経過するまで*
	新型コロナウイルス（COVID-19）	発症した後5日を経過し，かつ症状軽快後1日を経過するまで
	百日咳	特有の咳が消失するまで，または5日間の適正な抗菌性物質製剤による治療が終了するまで*
	麻疹	解熱した後3日を経過するまで*
	流行性耳下腺炎	耳下腺，顎下腺または舌下腺の腫脹が発現した後5日を経過し，かつ全身状態が良好になるまで*
	風疹	発疹が消失するまで*
	水痘	すべての発疹が痂皮化するまで*
	咽頭結膜熱	主要症状が消退した後2日を経過するまで*
	結核および髄膜炎菌性髄膜炎	病状により学校医そのほかの医師において感染のおそれがないと認めるまで
第3種	コレラ，細菌性赤痢，腸管出血性大腸菌感染症，腸チフス，パラチフス，流行性角結膜炎，急性出血性結膜炎，そのほかの感染症	病状により学校医そのほかの医師において伝染のおそれがないと認めるまで

学校保健安全法施行規則より作成（詳細については関連法令の原文を参照）

＊ただし，病状により学校医そのほかの医師において伝染のおそれがないと認めたときはこの限りでない

・第1種もしくは第2種の伝染病患者のある家に居住する者またはこれらの伝染病にかかっている疑いがある者については，予防処置の施行の状況そのほかの事情により，学校医そのほかの医師において伝染のおそれがないと認めるまで出席停止とする

・第1種または第2種の伝染病が発生した地域から通学する者については，その発生状況により必要と認めたとき，学校医の意見を聞いて適当と認める期間を出席停止とする

・第1種または第2種の伝染病の流行地を旅行した者については，その状況により必要と認めたとき，学校医の意見を聞いて適当と認める期間を出席停止とする

・第3種：飛沫感染はしないものの，集団生活において流行を広げる可能性が高い感染症である．すべての疾患において医師が感染のおそれがないと認めるまで出席停止となる

4　患者・家族への対応基準

▶ 対応

1）患者・家族への対応は，状況に応じて丁寧かつ確実に実施する．
2）状況やタイミングは，同意を得る必要がある場合（同意書含む），感染対策として患者・家族にも協力を得なければならない場合，また患者自身の病状の理解を求める場合や管理体制の理解を求める場合など．
3）説明と同意の取得にあたっては，確実な情報のみを説明する．また疑問があればいつでも質問可能であることを合わせて説明する．
4）MRSA，MDRP，CRE等の説明文書フォーマットは図E2〜4を参照．
5）対応基準については表E-3を参照．

表E-3　対応基準

状況・タイミング	いつ	誰が	どうやって	目的
個別事案	病原体が確認される，または臨床的に判断され，経路別感染対策を実施することが決まり次第，できるだけ早急に説明をする	原則，各患者の担当医が説明する	書面で実施する（急ぐ場合は口頭で説明し，その後に書面でも説明する）	マスクの装着や手洗いの徹底，行動範囲の規定や解除の見通し，対策が必要な理由と病状の理解などをおもな目的とする
集団感染【アウトブレイク】【クラスター】	アウトブレイクやクラスターとICTが判断し必要な対策が決定した時点で説明を行う		書面で実施する（急ぐ場合は口頭で説明し，その後に書面でも説明する）	
針刺し・切創，皮膚・粘膜曝露事案	当該患者の感染症情報が確認できないとき（患者採血が必要）	各患者の担当医が説明する	書面で実施する	感染症情報の確認
その他	保健所や行政，ほかの医療機関などから求められたとき，またICTが必要と判断したとき	原則，各患者の担当医が説明する．ただし，事案によってはICTが直接説明する場合がある	状況に応じて判断する	状況に応じ，感染対策を実施する

MRSA（メチシリン耐性黄色ブドウ球菌）の検出について

　今回検査した＿＿＿＿＿＿＿からMRSA（メチシリン耐性黄色ブドウ球菌）が検出されました．
　もともと黄色ブドウ球菌は皮膚や鼻腔などにいる細菌ですが，この中でメチシリンという抗菌薬が効かないタイプのものをメチシリン耐性黄色ブドウ球菌（MRSA）といいます．治療のために抗菌薬を使用することで，最終的にMRSAが検出されることもあります．また，病院内など複数の人が混在する場合，環境や人から移ることもあります．

　常在（保菌）しているだけであれば健康を害することはありませんが，体力や免疫力が低下している場合や手術や治療により抗菌薬の投与やカテーテルなどを挿入することで体の中に細菌が入り込むことで感染症を引き起こすことがあります．感染症の治療のために抗菌薬や処置などを行うこともあります．

　また，院内感染拡大を防止する観点から，下記の感染対策を行いますのでご理解・ご協力をお願いいたします．

①病室の入り口への必要な予防策の表示
②手洗いや手指消毒の徹底
③手袋やガウン，サージカルマスク，アイシールドなど個人防護具の使用
④（必要に応じて）個室への移動
⑤患者様，面会者への手洗いや手指消毒のお願い
⑥その他（　　　　　　　　　　　　）

ご不明な点は主治医，病棟スタッフまでお尋ねください．

年　　　月　　　日

説明者：＿＿＿＿＿＿＿科・部＿＿＿＿＿＿＿＿＿

同席者：＿＿＿＿＿＿＿＿＿＿＿＿＿＿＿＿＿

千葉大学医学部附属病院

図E-2　**説明文書フォーマット①**

感染対策が必要なウイルスの検出について

今回検査したところ＿＿＿＿＿＿＿＿＿＿＿＿＿＿＿＿＿＿＿＿＿が検出されました.

　このウイルス感染症の治療は必要性に応じて進めてまいりますが,同時に感染拡大防止の観点から対策を講じることも必要となります.院内感染拡大を防止する観点から,下記の感染対策を入院中は行わせていただきます.

　　①病室の入り口への必要な予防策の表示
　　②手洗いや手指消毒の徹底
　　③手袋やガウン,サージカルマスク,アイシールドなど個人防護具の使用
　　④（必要に応じて）個室への移動
　　⑤患者様,面会者への手洗いや手指消毒のお願い
　　⑥その他（　　　　　　　　　　　）

　また,状況や状態によっては,感染症法に合わせて治癒までの間は当面ご自宅にて療養していただく可能性があります.
　ご理解・ご協力をお願いいたします.

　　　　　　　　　　　ご不明な点は主治医,病棟スタッフまでお尋ねください.

　　　　　　　　　　　　　　　　　　　　　　　　年　　　月　　　日

　　　　説明者：＿＿＿＿＿＿＿＿科・部＿＿＿＿＿＿＿＿＿

　　　　同席者：＿＿＿＿＿＿＿＿＿＿＿＿＿＿＿＿＿＿

　　　　　　　　　　　　　　　　　　　　千葉大学医学部附属病院

図 E-3　**説明文書フォーマット②**

検査の実施について（お願い）

　この度，院内で＿＿＿＿＿＿＿に感染している患者・職員が確認されました.

　現在，当該病棟を中心に感染対策を厳重に行っておりますが，患者さんの安全と安心を確保するため，検査をさせていただきたいと考えております.

検査方法：咽頭・鼻腔・便　検査

検査結果については，担当医よりご説明いたします.

　今後も，皆様が安心して療養生活を送られるよう，最大限の努力をしてまいりますので，ご協力くださいますよう，よろしくお願い申し上げます.

　　　　　　　　　ご不明な点などありましたら，病院職員までお尋ねください.

　　　　　　　　　　　　　　　　　　　　　　　年　　　月　　　日

　　　説明者：　　　　　　　　　　科・部＿＿＿＿＿＿＿＿＿＿＿

　　　同席者：＿＿＿＿＿＿＿＿＿＿＿＿＿＿＿＿＿＿＿＿＿＿＿＿＿

　　　　　　　　　　　　　　　　　　　　　　千葉大学医学部附属病院

図E-4　**説明文書フォーマット③**

⑤ 食中毒発生時の報告・連絡体制

🔍 病院食提供による食中毒（疑いを含む）が発生した場合 ………………………………

病院食提供による食中毒（疑いを含む）が発生した場合は，蔓延を最小限に食い止めるため，下記フローに準じて対応する（図E-5）.

▷ 病院食提供による食中毒発生時のフロー（疑いを含む）

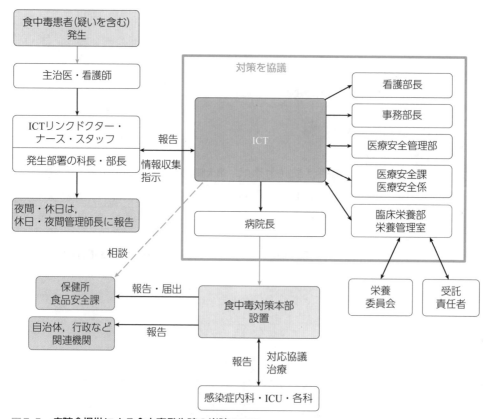

図E-5　病院食提供による食中毒発生時の当院のフロー

▶ 初動対応

1）部署からの報告
  a）部署で，複数の患者が，同時多発的に嘔吐・腹痛・下痢，時に発熱を伴う急性胃腸炎症状を呈した場合は，病院食提供による食中毒を疑い，ICTへ連絡する．
  b）ICTが病棟から食中毒疑いの報告を受けたら，ICTメンバーは病棟へ行き，情報収集を行う（できるだけ複数の職種：医師，看護師，検査技師，管理栄養士，薬剤師などで行う）．
  c）報告のない病棟の状況も確認する．
  d）ICTメンバー内で情報共有し，初期対策案の策定を行う．
2）食中毒疑いであると判断した場合
  a）ICTは，病院食提供による食中毒疑い事例が発生したことを病院長，事務部長，看護部長など，関連部署などに報告する．
  b）ICTが主体となり，疫学調査を継続する．
  c）臨床栄養部は，使用食品の確認や調理から配膳への時間経過などを調査し，報告する．
  d）ICT，臨床栄養部，医療安全管理部，医療安全課医療安全係で対策を協議・実施し，病院食提供による食中毒と判断した場合は病院長に報告する．

▶ 食中毒対策本部の設置

  病院食提供による食中毒であると判断した場合は，病院長を本部長として食中毒対策本部を設置し，事務部長，医療安全管理部長，感染制御部長，臨床栄養部長，検査部長，総務課長，医療安全課長を構成メンバーとする．

▶ 食中毒対策本部の活動

1）保健所と連携し原因調査・原因究明を行う．
  a）管轄下の保健所食品安全課に報告する．
  b）管轄下の保健所の職員の聞き取り調査や，食品サンプルや患者検体の提出に協力する．
2）病棟の感染対策の強化を図る．
  a）トイレなど環境整備状況などを確認し，感染対策の徹底を図る．
  b）2次発症者の監視を行い，対応する．
3）食中毒発症患者および家族などへの対応状況の確認・指導を行う．
4）厨房の稼働停止の場合の対応を行う．

▶ 治療

  感染症内科と各科で協力し，食中毒発症患者の治療を行う．

🔍 職員間での食中毒（疑いを含む）が発生した場合 ·······································

  職員が食中毒の症状を呈している場合，その職員の排泄物や吐物からの感染を防止する必要がある．職員は，食中毒が疑われる発熱・下痢・嘔吐などの症状がある場合は，早期に上司に相談・報告する．報告を受けた管理者は，ICTに報告し，必要な対応を行う．

  団体で会食などを行ったあと，複数人から同様の症状がある場合は注意する．

F アウトブレイク

──── résumé ────

1 アウトブレイク時の対応
 • アウトブレイク時の基本的対応
2 アウトブレイク時の周知手順
 • アウトブレイク時の周知と各部門の対応

Point

- アウトブレイクの具体的な基準を記載しておきましょう.
- 最も迅速性が問われる状況なので，院内の連絡体制にもれなく周知が行われるようにフローチャートを作成しておきましょう.

MEMO

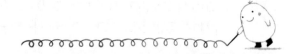

❶ アウトブレイク時の対応

▶ アウトブレイクの定義

　病院または同一病棟内で同一菌種（原因微生物が流行性感染症や多剤耐性菌によるものを想定）による感染症の集積が通常よりも高い状態でみられ，疫学的にアウトブレイクが疑われると判断した場合をいう．

▶ アウトブレイクを疑う基準

1）耐性菌
  a）1例目の発見から4週間以内に，同一病棟において新規に同一菌種による感染症の発病症例が計3例以上特定された場合，あるいは，同一医療機関内で同一菌株と思われる感染症の発病症例（抗菌薬感受性パターンが類似した症例など）が計3例以上特定された場合を基本とする．
  b）カルバペネム耐性腸内細菌科細菌（CRE），多剤耐性緑膿菌（MDRP），バンコマイシン耐性黄色ブドウ球菌（VRSA），バンコマイシン耐性腸球菌（VRE），多剤耐性アシネトバクター属菌（MDRAB）の5種類の多剤耐性菌については，保菌も含めて1例目の発見をもって，アウトブレイクに準じて厳重な感染対策を実施する．
2）流行性疾患（インフルエンザ，ノロウイルスなど）
  a）1病棟（部署）内で複数の入院患者または職員から流行性疾患を疑う症状が出現，または同一の流行性疾患のウイルスなどが検出された場合には，アウトブレイクを疑う．

▶ 対応

1）初動と連携
  a）アウトブレイクを疑う事例が発生したら，ICTは該当部署へ行き，情報収集を行う．
  b）ICTで情報共有し，臨床的・疫学的特徴に基づきアウトブレイクか否か判定する．
  c）ICTは症例定義を作成し，アウトブレイク対応の範囲（症例が発生しうる集団）の推定に基づき，初期対策の策定を行う〔インフォームド・コンセント（IC）の対象患者，ICの内容についても策定する〕．
  d）アウトブレイクであると判断した場合，感染対策責任者は病院長および医療安全管理責任者に報告し，病院長はアウトブレイクであることの宣言を行う．
  e）ICTは周知手順に準じて，関連部署にアウトブレイク宣言を周知する．
  f）感染対策責任者は管轄下の保健所へ相談する．
2）感染拡大予防策の実施
  a）初期対策に基づき，厳重な感染対策を開始する．
  b）感染症発症患者には適切な治療を行う．
  c）アウトブレイク終息に向けた対策の徹底のために，職員への情報提供と対策の周知を行う．
3）疫学的手法に基づくアウトブレイクの調査と発生要因の究明
  a）疫学調査により，未発見の同一感染症患者の発見や感染経路の把握に努める（流行曲線の作成・発生場所の俯瞰図の作成・患者一覧の作成）．
  b）当該部署の日常の感染対策の実施状況の確認．
  c）a)b)に基づきアウトブレイクの発生要因を明らかにする．
4）アウトブレイク終息に向けた活動
  a）ICTと当該部署の管理者などで，アウトブレイク終息に向けた目標（短期目標）とアウトブレイクの要因となった日常の感染対策改善の目標（中長期目標）の設定および感染対策の策定を行う．
　　①基本的に，アウトブレイクに対する目標の設定および感染対策の策定は，流行性疾患の場合はアウトブ

レイクの把握から直ちに，耐性菌の場合は1週間以内に行う．

　②感染対策の徹底・改善を図るため，ICTと当該部署責任者などによるアウトブレイク対策チームの結成を考慮する．

b）必要に応じて感染管理委員会を開催し，病院感染に関する体制や技術的事項などを検討する．

c）ICTは当該部署へのラウンドをアウトブレイクの終息が宣言されるまでは毎日行い，感染対策の実施状況のモニタリングと保菌調査（スクリーニング）などで感染対策の効果を評価する．

　①流行性疾患のアウトブレイクでは1日のラウンド回数を増やすなど異常の早期発見に努める．

d）感染対策責任者は当該部署の状況を適宜，医療安全管理責任者に報告する．

e）流行性疾患の場合，当該部署の管理者は，新たな検出者と思われる事例が発生した際は，適宜ICTに報告する．

f）必要に応じて全職員に対する組織的な対応方針の指示，教育などを行う（医政地発1219第1号）．

5）保健所への報告，外部支援の受審

a）耐性菌の場合，同菌種による感染症の発病症例が3名以上，または因果関係が否定できない死亡事例が確認された場合，感染対策責任者は，管轄下の保健所を含む関連機関へ報告する．

b）耐性菌の場合，新たに同菌種の検出があった場合は，速やかに協力医療機関へ感染拡大防止に向けた支援を求める．

c）流行性疾患の場合，多数の発症者（10名以上），アウトブレイクと関連する死亡例，アウトブレイクのコントロールが困難な状況となった際は，保健所へ報告を行う．

▶ 終息

1）短期目標の達成により，アウトブレイク終息が見込まれる場合，感染管理委員会で，短期目標の評価および，中長期目標達成に向けた対策について協議を行ったうえで終息を決定する．また，病院長はアウトブレイクの終息宣言を行う．

2）ICTは，アウトブレイク終息を関連部署および全部署へ周知する．

▶ アウトブレイクの要因となった日常の感染対策の改善に向けた活動の継続

1）部署は中長期目標の達成に向けた活動を継続する．

2）ICTは通常ラウンドなどで感染対策の実施状況・効果を評価する．

3）改善策に基づき，マニュアルなどの改訂を行う．

4）平時より医療機関相互の感染対策ネットワークを構築し，日常的な相互協力をすることで，アウトブレイクの防止に努める．

🔍 アウトブレイク時の基本的対応(図F-1) ・・・・・・・・・・・・・・・・・・・・・・・・・・・・

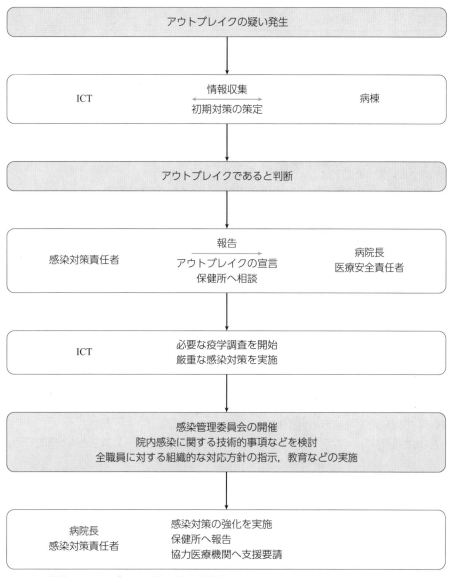

図F-1　当院のアウトブレイク時の基本的対応のフローチャート

2 アウトブレイク時の周知手順

▶ 全体の周知の流れ

1 ）アウトブレイク事例と判断した場合，感染対策責任者は，病院長および医療安全管理責任者へ報告し，病院長はアウトブレイクであることの宣言を行う．
2 ）ICTは関連部署へアウトブレイクであることおよび初期対策の実施について連絡する．
3 ）ICTから連絡を受けた関連部署の責任者およびICTリンクドクター・ナース・スタッフは以下の役割に準じて部署内への周知・徹底を図る．
4 ）ICTは，関連部署以外の部署に対してメールでアウトブレイクの周知を行う．
5 ）ICTはアウトブレイク終息の決定がされたら，全部署に対しメールでアウトブレイク終息の周知を行う．

▶ 関連部署の周知に関する役割

1 ）アウトブレイク発生病棟および診療科・部門
　a）看護師長は，看護師，看護補助者，クラーク，フロアの清掃担当者へ周知する．
　b）当該診療科・部門のICTリンクドクターは，科長および診療科・部門内(所属医師，研修医，実習中の学生など)にアウトブレイクの発生および対策について周知する．
　　①ICTリンクドクターが不在の場合，ICTは医局長または診療科長に連絡し，対応者を決める．
　　②当該科・部門の医師を介しての感染拡大を防止するため以下の事項を確認し，関連各署との情報共有を行う．
　　　※アウトブレイク発生病棟以外に当該科の患者がいる場合(占有病床，共通病床，空床利用，ICU/CCU入室など)の対策・対応．
　　　※複数科で当直している場合の当直体制および当直時の対策．
　　③主治医(担当医師)に，インフォームド・コンセント(IC)の対象患者・家族などへ説明を行うよう指示する．
2 ）組織横断的活動を行っている部門
　a）リハビリテーション部，放射線部，薬剤部，検査部，臨床栄養部，地域医療連携部などのICTリンクスタッフは，各部門の職員へ周知する．
3 ）医療安全課
　a）事務部長へ報告する．
　b）病棟閉鎖などの対応が必要な場合は医事課入院担当へ周知する．
　c）総務課事務担当へ周知する．
　d）総務課広報係へ周知する．

▶ 関連部署以外の部署での周知

　アウトブレイクの発生宣言に関するメール周知を受けた，当該部署責任者およびICTリンクドクター・ナース・スタッフは，自部署内への周知を行う．

🔍 アウトブレイク時の周知と各部門の対応 (図F-2) ・・・・・・・・・・・・・・・・・・・・・・・・・・・・・・

```
┌─────────────────┐      ┌──────────────────────────────────┐
│ アウトブレイク宣言 │──────│ 病院長がアウトブレイク宣言を行う         │
└─────────────────┘      └──────────────────────────────────┘
         │
         │
```

┌──┐
│ **当該部門**   │
│   │
│ ICT からアウトブレイク発生病棟・診療科・部門（当該部門）へ   │
│ アウトブレイクの発生と初期対策の実施について周知   │
│ ■看護師長→看護師，看護補助者，クラーク，清掃担当者へ周知   │
│ ■リンクドクター→当該部門の長，医師，研修医，実習学生等へ周知   │
│ 　（※ICTリンクドクター不在時は医局長，当該部門長に連絡する）   │
│   │
│ ●患者・家族等へアウトブレイクの発生と初期対策に関する説明を行う   │
│ ┌───┐ │
│ │ ＜当該部門の職員を介する感染拡大を防止するため＞   │ │
│ │ ●ICU，共通病床など当該病棟以外にいる患者への対策と対応を検討する │ │
│ │ ●当該部門が複数科で当直を行っている場合の当直体制と当直時の対応を検討 │ │
│ │ 　する   │ │
│ └───┘ │
│   │
│ **関連部門**   │
│   │
│ ICT からリハビリテーション部，放射線部，薬剤部，検査部，臨床栄養部，   │
│ 地域医療連携部などのICTリンクスタッフに周知   │
│ ■各ICTリンクスタッフ→自部門の職員へ周知   │
│   │
│ **事務部門**   │
│   │
│ ICT から事務部長へ報告   │
│ 必要に応じて医事課入院担当、総務課事務担当、総務課広報係等へ周知を行い   │
│ 連携を図る   │
│   │
│ **すべての部門**   │
│   │
│ ICT から全職員へメールにて周知   │
│ ■各ICTリンクスタッフ→自部門の職員へ周知   │
└──┘

アウトブレイク発生
初期対策周知

```
┌─────────────────┐      ┌──────────────────────────────────┐
│ アウトブレイク     │──────│ 病院長がアウトブレイク終息宣言を行う     │
│ 終息宣言         │      │                                  │
└─────────────────┘      └──────────────────────────────────┘
         │
         │
┌─────────────────┐      ┌──────────────────────────────────┐
│ アウトブレイク     │──────│ ICT から全職員へメールにて周知          │
│ 終息の周知       │      │ ■各ICTリンクスタッフ→自部門の職員へ周知  │
└─────────────────┘      └──────────────────────────────────┘
```

図F-2　**ICTからの周知のフローチャート**

G 検体の取り扱い

Point

- 検体採取の具体的な方法と検体採取容器を写真とともに示してあります.
- 正しい方法で正しい検体容器に採取することが検体の取り扱いの基本です.

MEMO

細菌検体採取方法と検体の取り扱い方

▶ 検体採取の基本

1）感染症の原因菌を検出するためには，まず感染症が疑われる患者から正しく検体を採取することが重要である.

2）患者検体は感染性の有無にかかわらず感染防御のため検体採取時，取り扱い時には標準予防策に準じ手袋を着用する.

3）検体は患者の体液や組織の一部であり，採取にあたっては患者の苦痛や負担を伴う場合がある. 検体の取り扱い方により破損や紛失，または取り違えなどのないようにラベルを確認し，大切に取り扱う.

▶ 検体の正しい採取方法（表G-1）

表G-1　**検体採取のポイント**

採取時期	●原則として抗菌薬投与前 ●抗菌薬投与時は最低24時間投与を中止した後, または次回投与直前
採取時の注意点	●無菌操作に留意し, 検査室支給の滅菌済み容器に採取（ただし, 便の容器は清潔であればよい） ●穿刺部位の十分な消毒（血液培養, 胸水穿刺など） ●喀痰など常在菌の汚染が避けられない場合は, 採取時に口腔内常在菌をできるだけ少なくするように注意する
量と質の確認	●自ら検体の量や品質を再確認する ●量が少ない場合や品質が悪い場合は, 採取し直す

▶ 検体の正しい保存と輸送方法（表G-2）

表G-2　**検体保存と輸送のポイント**

一般的保存と輸送	●採取後, 直ちに検査室に輸送 ●夜間, 休日は乾燥を防ぎ, 所定の冷蔵庫（4℃前後）に保存 ●病棟などの冷蔵庫には, 環境汚染などの問題により保存しない
菌の種類に応じた保存と輸送	●髄膜炎菌, 淋菌, ビブリオが疑われる場合は, 低温に弱いため室温保存 ●嫌気性菌が疑われる場合は, 嫌気状態を保つ容器（嫌気培養用輸送容器など）に保存
血液培養と髄液培養 （夜間, 休日の対応）	●血液培養は, 採血後直ちに自動血液培養装置に装着 ●髄液培養は緊急検査室に提出

2　検体別採取方法

▶ 血液（図G-1）

1）採取容器は血液培養ボトル2本（好気性用，嫌気性用）を使用.
2）採取量は約20 mL（採取総量が10 mL未満の場合は好気性用ボトルのみを使用する）.
3）採取方法と提出方法は，①採血部位の皮膚表面を十分に消毒し，皮膚に存在する種々の雑菌の混入を防ぎ採血する，②採血後速やかに血液培養ボトル（1組2本）のプラスチックの蓋を取り，ゴム栓をエタノールで消毒し乾燥後，採取した血液を約10 mLずつ加える，③血液培養ボトルは直ちに検査室に輸送する，④受付時間外や休日に採取された血液培養ボトルは，検査室の自動血液培養装置に装着する.
4）診断の向上のために，異なる部位から2セット採血することが望ましい.

図G-1　**血液培養ボトル**
左：好気性用，右：嫌気性用

▶ 髄液（図G-2）

1）採取者はマスクを着用し，穿刺する皮膚の表面を十分に消毒し，皮膚に存在する種々の雑菌の混入を防ぐ.
2）髄液採取用スピッツに採取する（菌が発育すれば原因菌の可能性が高いため，スピッツ外部も滅菌されている）.
3）直ちに検査室に搬送する. 受付時間外や休日に採取された場合は，緊急検査室などに提出する.

図G-2　**髄液遠心管**

▶ 喀痰（図G-3）

1）起床時の痰がよいとされる.
2）口腔内の常在菌の混入を最小限にするため，喀痰採取前にできるだけ歯磨きをする.
3）水で数回うがいをする.
4）喀痰を専用容器に採る.
5）鼻汁，唾液を入れないように注意する.
6）黄色味を帯びている膿性の痰の確認をする.

図G-3　**採痰管**

▶ 尿（図G-4）

1）中間尿

  a）1,000倍希釈逆性石けんなどで外陰部を拭い，外陰部の雑菌混入を防ぐ．前半の尿を放出させ，中間尿を滅菌紙コップに10〜20 mL採取する．

  b）肥満の女性や，包皮のある男性では尿道口辺にしばしば恥垢があり，十分な消毒が必要な場合がある．

2）カテーテル採尿

  a）尿道にカテーテルを挿入すればかなり定着菌を避けて採取できる．

  b）医原的に尿路感染を発生させることがあるので注意する．

3）留置カテーテル尿

  採尿ポートをエタノールで消毒し，注射器で約5 mL採取する．

4）尿中抗原（肺炎球菌，レジオネラ）

  細菌採尿用スピッツで採尿する．

図G-4　採尿管

▶ 便（図G-5）

1）自然または浣腸による排泄便を採取する．排便は使い捨て紙製便器，大型紙コップ，またはそのまま流すことのできる採便シートを使用する．水洗便器から直接検体を採取することは避ける．排便直後の検体が最もよいが，やむを得ない場合は直腸スワブ（肛門より注意深く，スワブを3 cm程度挿入し，静かにスワブを回転させ，目にみえる程度の便を付着させる）を用いる．

2）便をよく観察し，膿，血液，粘液部を選んで採便さじで母指頭大（1 gくらい）を採取する．

図G-5　採便管

▶ 咽頭粘液，鼻咽頭粘液（図G-6，図G-7）

1）採取容器は咽頭用綿棒，または鼻咽頭用綿棒（アルミ軸）を使用.
2）採取前に患者に水道水でうがいをさせたほうがよい.
3）舌圧子で舌を下方に押した状態で，綿棒を扁桃と口蓋垂の後部に挿入し，後部咽頭の粘膜を前後に拭くようにして粘液を採取する.

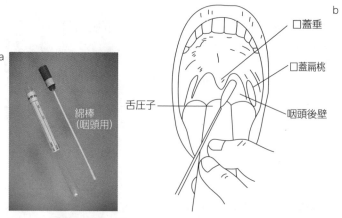

図G-6　咽頭の検体採取
a：綿棒（咽頭用），b：咽頭の検体採取方法

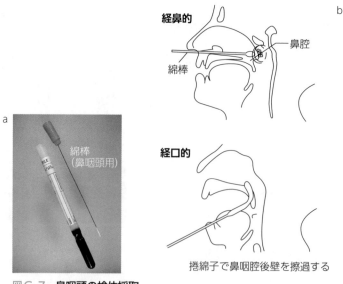

図G-7　鼻咽頭の検体採取
a：綿棒（鼻咽頭用），b：鼻咽頭の検体採取方法

▶ インフルエンザ用鼻咽頭粘液（図G-8，図G-9）

1）採取容器はインフルエンザ用綿棒を使用する．ほかの綿棒でも代用可能だが，鼻咽頭用綿棒（アルミ軸）のような保存培地が入っているものは，保存培地に入れないでそのまま使用する．

2）咽頭よりも鼻咽頭のほうが検出率が高いため，鼻咽頭から採取する．

図G-8　インフルエンザ用綿棒

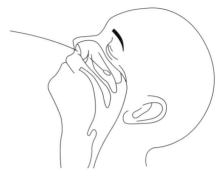

図G-9　鼻咽頭からの採取方法

▶ そのほかの検体（図G-10）

1）採取容器は，嫌気性培養が不要な検体には咽頭用綿棒または鼻咽頭用綿棒（アルミ軸）を使用．嫌気性培養が必要なものは嫌気培養用輸送容器などを使用する．

2）採取時は，皮膚常在菌の混入を防ぐため皮膚の表面を十分に消毒する必要がある．

図G-10　嫌気培養用輸送容器（嫌気性菌用）

▶ SARS-CoV-2用鼻咽頭ぬぐい液

1）抗原検査：採取した綿棒の検体容器への入れ方（図G-11, 図G-12）
　①採取後，図G-13のさやに綿棒を折らずに入れ提出.

図G-11　**採取綿棒：鼻咽頭用の細い綿棒**

図G-13　**検体容器**

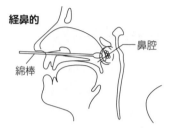

図G-12　**鼻咽頭の検体採取法**

2）PCR検査：採取した綿棒の検体容器への入れ方（図G-14, 図G-15）
　①綿棒は矢印のところが細く折れやすくなっている.
　②綿棒を折る.
　③しっかりとスクリューキャップをする. 柄は捨てる.

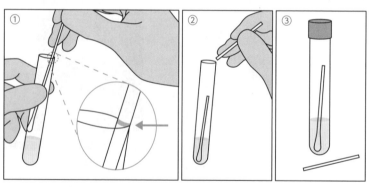

図G-14　**検体容器への入れ方**

図G-15　**検体容器**

H 処置・ケア関連

Point

・ 中心静脈カテーテル管理や口腔ケアの注意点など，感染対策の視点で注意が必要なものとして適宜追加・修正・削除をしていきます．
・ 多くのマニュアルが必要となるページですが，現状に合わせてページの増減を検討していきましょう．

MEMO

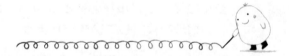

血液培養採取

ポイント	●清潔操作にて採血を実施し，環境や常在菌による検体の汚染を防止する
	●臨床症状に変化があるとき，または臨床的改善が認められないで抗菌薬を変更するときなどは血液培養を再施行する
	●臨床的に改善していればフォローアップの血液培養は必ずしも必要ではない

採血の タイミング	菌血症が疑われるときに行う．また，以下の例のうち，1つでも当てはまれば適応である
	●38℃以上の発熱．ただし細菌感染症が疑われるとき
	●36℃以下の低体温で頻呼吸や頻脈，冷汗，意識障害，筋肉痛や関節痛を伴うとき
	●体温は正常でも，頻呼吸や頻脈などがあり，細菌感染症が疑われるとき
	●白血球増加(未熟，または桿状核球への左方移動を伴う場合)．具体的には10,000/μL以上
	●顆粒球減少(多核白血球1,000/μL以下)
	●原因不明の意識障害
	●原因不明の代謝性アシドーシス，特に進行する場合は絶対適応
	●悪寒戦慄(shaking chill)．菌血症の特異度90.3%といわれる．発熱を待たずに施行してよい
	●高齢者の特徴のない訴えが比較的速やかに現れた場合(食べられない，気分が悪い，歩けなくなった，立てなくなった，など)
	●急速に進行する見当識障害
	●哺乳不良，発育不良の新生児・乳児
	上記に列挙した以外でも，適応があると臨床医が判断した場合
検体数	●清潔操作で確実に採血し，原則として異なる場所から2回(2セット)採血をする
	●1回の採血で1セット(好気性用ボトル1本＋嫌気性用ボトル1本)とする
採血部位を 選択する	動脈と静脈で陽性率には差がないとされているので，静脈からの採血でかまわない
	注) 大腿や皮膚疾患のある部位からの採血は汚染の原因となるのでなるべく避ける
	注) 静脈留置カテーテルからの採血は有意に汚染菌の検出率が高くなる
採血部位の 消毒	●個包エタノール綿で採血点を中心に5cm四方の範囲で付着物などを落とすように擦る
	●1%クロルヘキシジン含有79%エタノール綿棒で消毒する(アルコール禁忌の場合はポビドンヨードを使用する)．ポビドンヨードは2分以上の消毒薬の接触時間が必要である
手指衛生と 滅菌手袋	●手指衛生を施行する
	●清潔操作ができるようであれば未滅菌の手袋でよい．ただし，清潔が保持できないことが予想される場合は滅菌手袋を着用する
血液培養ボト ルへの分注	ボトルのキャップを外し，エタノール綿など個包エタノール綿でボトル注入口を消毒する．ほかの検査項目と同時に採血した場合は，最初に血液培養ボトルに分注する
採血量 (成人)	1回の採血あたり，20mLを採血し，10mLずつ嫌気・好気性用ボトルに分注する．状況により必要量が採血できない場合は，好気性用ボトルになるべく10mL入れる
採血量 (小児)	小児では下記のような体重と採血量，採血回数の目安がある
	●体重≦1kg：2mLを1回　体重1.1～2kg：2mLを2回
	●体重2.1～12.7kg：1回目4mL，2回目2mL　体重12.8～36.3kg：10mLを2回
	●体重>36.3kg：20～30mLを2回　小児ボトルは≦4mLの採血の場合適用
針の交換は しない	注射器の針を換えずに血液を嫌気性用ボトルから10mLずつ分注し，血液を混入した血液培養ボトルを2～3回静かに混和する
抗菌薬投与後 の場合	●可能な限り抗菌薬濃度の低い時間に採取するのがよい(次の投与の直前など)
	●症例によっては抗菌薬をいったん中止して血液培養を行う場合があるが，あくまでも患者の状態が優先される

2 カテーテル関連血流感染（CABSI）防止

中心静脈カテーテル管理

ポイント	●カテーテルの使用の適応を見極め，適切な挿入法・維持管理を行い，血流感染防止に努める必要がある．中心静脈カテーテルが必須でなくなった場合は，速やかに抜去する
感染経路	●挿入時の穿刺部位の皮膚の汚染 ●ルート接続部の汚染

カテーテルの選択	●カテーテルは使用目的によって選択する ・長期使用 ・短期使用 ・埋め込み式カテーテル ・末梢挿入中心静脈カテーテル（peripherally inserted central catheter：PICC） ●カテーテルのルーメンは必要最小限となるようにする
挿入時の注意点	●カテーテルの穿刺部位は鎖骨下静脈を第一選択とする ●短期の留置では，皮下トンネルを作成しない ●カテーテル挿入時はマキシマルバリアプリコーション（滅菌手袋，滅菌ガウン，マスク，帽子，大きな滅菌ドレープ）で行う〔「マキシマルバリアプリコーションセット」（図H-1）を用いる〕 ●挿入に伴う予防的抗菌薬の投与は不要 ●Swan-Ganz（スワンガンツ）カテーテル挿入時にはハンズオフカバーを使用する ●穿刺部位の皮膚の消毒は1％クロルヘキシジンエタノール含浸綿棒か，10％ポビドンヨードを用いる（可能であれば，留置前にシャワー浴を行う） ●穿刺に先立って局所の剃毛は行わない．必要であれば，医療用電気バリカンなどを用いて除毛する
留置部の皮膚の管理	●留置部の皮膚の消毒は1％クロルヘキシジンエタノール含浸綿棒か，10％ポビドンヨードを用いる（10％ポビドンヨードは2分以上皮膚に接触させることで消毒効果がある） ●皮下埋め込み型ポート（CVポート）に穿刺するときの消毒方法は，ポートの外側を指で挟むように固定し，消毒用エタノール綿または消毒用クロルヘキシジン綿で刺入部位から直径2～3 cm外側へ円を描きながら皮膚表面の汚れを拭き取る．次に，1％クロルヘキシジンエタノール含浸綿棒で消毒する．エタノールまたはクロルヘキシジングルコン酸塩に過敏症がある場合は，10％ポビドンヨードで消毒を行う ●留置部に抗菌薬含有軟膏，ポビドンヨードゲルは用いない ●留置部の観察は毎日行い，挿入部位が化膿している場合はカテーテルを抜去する ●ドレッシング材は，滅菌ガーゼまたはフィルム型ドレッシングを使用し，定期的に交換する（交換日を必ず記載する） ※滅菌ガーゼ：発汗や滲出，皮膚に疾患がある場合に適している．2日ごとに交換する ※フィルム型ドレッシング：密封性が高く，刺入部の観察が容易である．週1回交換する

輸液ラインの管理	● 輸液ラインは，あらかじめフィルターや三方活栓，または注射ポートが組み込まれたものを使用する．三方活栓または注射ポートを追加する際は，必要最低数とする ● 患者ごとに手指消毒を行い，未滅菌手袋を装着して輸液ラインの操作を行う ● 輸液ライン（メインルート）とカテーテルの接続部の消毒，三方活栓または注射ポートからの側注の接続時の消毒は，消毒用エタノール綿を使用し厳重な消毒操作で行う 　※接続部の消毒は，まんべんなく強く擦りながら行う 　※消毒効果は，消毒用エタノール綿で清拭した30秒後 ● 血液製剤・脂肪乳剤などの投与は感染の危険性が高いので避ける 　※血液製剤や脂肪乳剤を投与した際は，側管から使用した輸液ラインを24時間以内に交換する 　※プロポフォールを投与した際は，側管から使用した輸液ラインを6〜12時間以内に交換する ● 輸液ライン交換（メインルート）は適切な管理下において，最低でも週1回の間隔で交換する（カテーテル本体の定期交換の必要はない） ● ヘパリンロックはできるだけ避ける 　※ヘパリンロックを行う際は，原則プレフィルドシリンジ製剤を用い，1患者1施用とする
病棟における調剤	● 病棟での混合薬剤数は極力少なくする ● 必要な薬剤調製は専用スペースで行う 　※清潔な輸液を作成するうえではクリーンベンチを使用する 　※クリーンベンチで作成できない場合は，空調の直下半径1m以内を避けた場所にスペースを確保し，設置した作業台で作成する ● 作業前に点滴作成台の作業面を環境清掃用ウェットクロスまたはエタノール含有ウェットクロスで消毒する ● マスクを着用し，手指消毒を実施する．非滅菌手袋を着用する ● 薬剤の混合や輸液セットの接続時は，その作業に専念し，患者の看護・処置は並行して行わない ● 調製終了後，作業台は環境清掃用ウェットクロスまたはエタノール含有ウェットクロスで消毒する
高カロリー輸液の調製後の保存	● 輸液の作成は，クリーンベンチなど無菌調製下で行い細菌汚染の可能性をできる限り低くする ● 無菌環境下（クリーンベンチなど）で作成された輸液製剤は，適切に冷所保管を行い，作成後4日以内に使い切る ● 患者に投与開始した輸液は，24時間を超えて使用しない

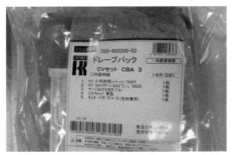

図H-1　マキシマルバリアプリコーションセット

末梢静脈カテーテル管理 ···

ポイント	●血栓性静脈炎やカテーテルへの菌定着による血流感染を起こす可能性がある．適切な挿入法・維持管理を行い，必須でなくなった場合は，速やかに抜去する
感染経路	●末梢静脈カテーテル挿入部位の皮膚の汚染 ●ルート接続部の汚染 ●汚染された薬剤の投与

カテーテル・挿入部の選択	●カテーテルは静脈炎予防のため，可能な限り最小のゲージ(太さ)とインチ(長さ)のものを選択する ●挿入部位の選択 ※カテーテルの挿入部位は末梢静脈であればどこでも可能であるが，成人では下肢への挿入は上肢への挿入に比較し，静脈炎のリスクが高い ※カテーテルの固定が不安定であると微生物が侵入しやすくなるため，固定しやすい部位を選択する
挿入時の注意点	●標準予防策(手指衛生・手袋・マスク)を遵守する ●挿入部位をエタノール綿または0.2%クロルヘキシジングルコン酸塩で消毒する ●挿入部位の固定は，観察・固定がしやすい透明な半透過性ドレッシングを用い，必ず挿入日を記入する．発汗が多い場合，あるいはカテーテル挿入部位の出血(毛細血管性出血)がある場合は，それが解消されるまではガーゼドレッシングを使用する
留置中の管理	●カテーテル挿入部位を毎日評価し，静脈炎を認めた場合は速やかに抜去する ※静脈炎の徴候(発赤，腫脹，疼痛)，出血，排膿，皮膚障害など ●小児など血管確保が困難な対象においては，静脈炎や皮膚障害が起こらない限り，定期交換は行わない ●ドレッシング材の定期的な交換は不要であるが，ドレッシングの湿り，緩み，目にみえる汚れが生じた場合は，ドレッシング材を交換するか，入れ替えを行う
輸液ラインの管理	●輸液ラインは，あらかじめフィルターや三方活栓，または注射ポートが組み込まれたものを使用する．三方活栓または注射ポートを追加する際は，必要最低数とする ●輸液ライン(メインルート)とカテーテルの接続部の消毒，三方活栓または注射ポートからの側注の接続時の消毒は，消毒用エタノール綿で行う ※接続部の消毒は，まんべんなく強く擦りながら行う ※消毒効果は，消毒用エタノール綿では30秒後から現れる ●カテーテルの入れ替えを行った際は，輸液ラインも新しいものに交換する ●側管から使用した点滴ラインは薬剤投与ごとに外すか，少なくとも24時間以内に交換する ●血液製剤・脂肪乳剤などの投与に使用した輸液ラインは感染の危険性が高いため，投与ごとにラインを外す ●ヘパリンロックはできるだけ避ける ※ヘパリンロックを行う際は，原則プレフィルドシリンジ製剤を用い，1患者1施用とする
病棟における調剤	●作業前に点滴作成台の作業面を環境清掃用ウェットクロスまたはエタノール含有ウェットクロスで消毒する ●マスクを着用し，手指衛生を実施する．非滅菌手袋を着用する ●薬剤の混合や輸液セットの接続時は，その作業に専念し，患者の看護・処置は並行して行わない ●空調用換気の直下では調剤しない ●調製終了後，作業台は環境清掃用ウェットクロスまたはエタノール含有ウェットクロスで消毒する
輸液ボトルの交換	輸液ボトル交換時は，ゴム栓部分を消毒用エタノール綿で消毒する(ゴム栓部分の製造時の滅菌規定はなく，搬送中の破損や埃の付着など汚染の可能性もあるため)

部署における注射薬の調製・管理

ポイント	●薬剤は可能な限り薬剤部で調製し，調製時の薬剤の汚染を防止することが望ましいが，部署での薬剤の保管・調製は下記に準じて行う

薬剤の保管・保存・使用	●注射薬，輸液ボトルは専用の棚などに保管する ※輸液ボトルを箱のまま床に置かない ●インスリンなど複数回使用する薬剤は，開封日を記入し，開封後の使用期限は1週間とする ●患者に投与を開始した輸液は24時間を超えて使用しない ●高カロリー輸液製剤は，調製後24時間以内にすべて投与されるよう計画する ●週末など，作成した高カロリー輸液製剤を数日分保管する場合は，薬剤部の無菌環境下で作成したものを部署の専用の冷蔵庫で保管し，作成後4日以内に使い切る
調製場所の管理	●高カロリー輸液製剤の調剤は，可能な限り薬剤部で無菌環境下で行う ●各部署で薬剤調剤を行う場合は，専用のスペースで行う ※汚染区域と交差しない場所に，注射薬調製専用の独立した部屋を設置する ※独立した注射調製室がない場合は，専用のスペースを決め，使用後の器材や汚染した医療従事者と交差しないよう配慮する ※安全キャビネットを使用する ※安全キャビネットがない場合は，注射調製室または専用スペースの空調の直下半径1 m以上，水場から1.5 m以上離れた場所に作業台を設置し，そこで作成する ※作業台にワゴンを使用する場合は，注射薬調製専用とし，ほかの作業に使用しない ●注射薬調製場所には注射薬調製に必要な物品以外は置かない ※遮光袋など注射薬調製に関連するものであっても患者に使用したものは置かない ●安全キャビネットは日常清掃のほか，定期的な清掃を行う．作業台やトレイ等が汚染した場合には適宜清拭する．
調製時の管理	●清潔操作で行い，その作業に専念できるよう業務調整を行う． ●作業前に安全キャビネットまたは作業台の作業面をエタノールガーゼで消毒する（エタノールの噴霧は行わない） ●サージカルマスクを着用し手指衛生を実施後，未滅菌手袋を装着する ●アンプルのカット部分はエタノール綿で清拭し，薬液を吸い上げる際はアンプルカットした縁や外面に注射針が触れないようにする ●輸液ボトルやバイアルのアクセス部分のシールやキャップを開封したら，ゴム栓をエタノール綿で消毒する（ゴム栓は製造時の滅菌規定はなく，搬送中の破損や埃の付着など汚染の可能性があるため） ●輸液のアクセス部分やバイアルのゴム栓には，垂直に注射針を刺しゴム栓が破損することによるコアリングに注意する ●高カロリー輸液においては，作業工程が増えると感染の機会も増加するため，混合する薬剤の数量を最小化する．〔ワンバッグ製剤またはツインバッグ製剤（高カロリー輸液基本液とアミノ酸液が隔壁で分離されているもの）〕の使用が望ましい ●高カロリー輸液製剤には，アルブミン製剤・脂肪乳剤を加えない ●注射薬は溶解後の安定性を考慮し，作成時間を調整する

4 尿道カテーテル関連尿路感染（CAUTI）防止

尿道カテーテル管理

ポイント	●適応のある症例に限り挿入し，必要な期間が過ぎたら，速やかに抜去する
感染経路 （図H-2）	●カテーテルと尿道粘膜の間隙 ●カテーテルと導尿用チューブの接続部 ●採尿バッグの排出口

適応	●完全尿閉や不完全尿閉の持続する場合 ●残尿がある場合 ●精密な尿量測定や水分管理が必要な場合 ●膀胱内の凝血除去のための持続膀胱灌流を行う場合 ●そのほか 　a）治療上安静が必要とされるとき（術後など） 　b）尿失禁により皮膚局所の清潔が保てないとき 　c）排泄に伴う行為が安静や安楽を損ねるとき 　　　※ただしb，cに関しては尿路感染のリスクを高める可能性あり
カテーテルの 選択	●原則，尿道カテーテルと集尿バッグチューブの接続部とがあらかじめ接続・シールされた閉鎖式システムを用いる ●尿道カテーテルの適応であるが，尿路感染が生命予後を脅かすリスクがある場合に限り，シルバーコーティングカテーテルの使用を検討する ●治療上洗浄・灌流が必要な場合は3wayカテーテルを推奨する
挿入時の注意点	●清潔操作でカテーテルの挿入を行う ●陰部汚染が著しいとき，それ以外でも可能な限り，石けんを用いて陰部洗浄を行い清潔にしてから挿入する ●尿道損傷のリスクを最小限にするため，カテーテルを無理に挿入しない ●尿道牽引による尿道損傷や，逆行性感染を防ぐため，カテーテルの固定を確実に行う．男性は下腹部に，女性は大腿内側に固定する（図H-3a，b）

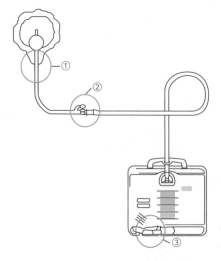

図H-2　尿道カテーテルの感染経路
①カテーテルと尿道粘膜の間隙，②カテーテルと導尿用チューブの接続部，③採尿バッグの排出口

留置中の管理	●逆行性感染を防止する ※カテーテルの屈曲に注意し，集尿バッグを患者の膀胱位置より常に低い位置に置き，ランニングチューブは常に自然に尿が流れるようにする ※ストレッチャーや車いすに移乗する前には尿を廃棄し，膀胱への逆行性感染をさせない ※集尿バッグの尿排出口が床につかないよう注意する ※集尿バッグ内の尿の廃棄は，バッグの尿排出口と集尿容器を接触させないように行い，尿を排除した後は尿排出口をエタノール綿などで消毒する ※カテーテルを交換する際は，集尿バッグまで一式交換する ※クランプによる膀胱訓練は行わない ●交差感染を予防する ※尿の廃棄などの際は標準予防策（マスク，手袋，プラスチックエプロン着用）を遵守する ※集尿バッグ内の尿の廃棄の際は，患者ごとに異なる清潔な集尿容器を使用する ●1日1回は石けんなどを用いて陰部洗浄を行い清潔に保つ．また，排泄物などで汚染された場合はその都度，陰部洗浄を行う ●膀胱内の出血などで閉塞が予想される場合以外は，膀胱洗浄を行わない ●カテーテル交換は，カテーテルの汚染が認められたら行い，定期的カテーテル交換を行う必要はない．しかし，長期留置が必要な場合には1か月を交換目安とする ●尿道留置カテーテルの抜去を日々検討し，間欠導尿やコンドーム型採尿具を使用することも検討する ●細菌感染が疑われる場合には，培養検査を実施する ●紫色尿バッグ症候群*は，無症候性細菌尿を背景としており，抗菌薬を投与する必要はないが，患者には適切に説明し不安を与えないようにするとともに，便秘の改善を図る
検体採取・取り扱い	●検体採取の際は標準予防策（マスク，手袋，プラスチックエプロン着用）を遵守し，交差感染や検体の汚染を防止する ●採尿ポートをエタノール綿で消毒し，滅菌されたシリンジで採取する
蓄尿・尿測の適応	●蓄尿・尿測は適応を定めて行う（漫然と行わない） ●蓄尿を行う場合は，必要期間を定めて行う（3日間を超えて行わない） ●尿測の期間はできるだけ短くし，体重などほかの指標で代用できる方法を検討する ●蓄尿・尿測の際に患者が使用する採尿カップは，ディスポとすることが望ましい ●採尿カップがディスポでない場合は，患者ごとに用い，使用ごとに洗浄して乾燥させ，1日1回は消毒を行う

＊紫色尿バッグ症候群とは，尿道カテーテルに接続した尿バッグとそのチューブの壁が紫色に着色する現象であり，便秘と尿路感染が原因である

a
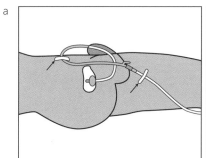
b
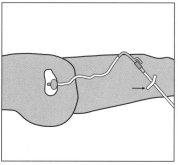

図H-3　**カテーテルの固定**
a：男性の場合，b：女性の場合

5 人工呼吸器関連肺炎（VAP）防止

人工呼吸器関連肺炎（VAP）	●人工呼吸器関連肺炎（VAP）は病院内で人工呼吸器装着後48時間以降に新たに罹患した肺炎であり，院内感染の1つである ●人工呼吸器関連肺炎を防止するには，複数の予防策を一連のものとして実施することが重要である
ポイント	●手指衛生を確実に実施する ●人工呼吸器回路を頻回に交換しない ●適切な鎮静・鎮痛をはかる．特に過鎮静を避ける ●人工呼吸器からの離脱ができるかどうか毎日評価する ●人工呼吸中の患者を仰臥位で管理しない

▶ 肺炎の要因

1）リスク因子

　気管挿管，人工呼吸器装着，24時間ごとの呼吸器回路の交換，意識レベルの低下，多量の誤嚥，開胸・開腹術後，経管栄養チューブの留置，抗菌薬の使用歴がある，など．

2）発生要因

　汚染された手や手袋・器具等による交差感染，口腔内・咽頭に定着した微生物の誤嚥，胃に定着した微生物の誤嚥，微生物に汚染されたエアロゾルの吸入，バクテリア・トランスロケーション＊など．

＊バクテリア・トランスロケーション：絶食や抗菌薬の使用により腸内細菌叢の偏りや腸管粘膜が退化して，通常は通さない腸内細菌などが血行性に移行すること．

人工呼吸器の管理	●人工呼吸器の取り扱いに際しては未滅菌手袋・サージカルマスク・アイシールドを用いる ●人工呼吸器の本体は，定期的な保守・点検・整備を受けたものを使用し，長期的に使用する場合はMEセンターに確認し清潔に取り扱う ●人工呼吸器回路は患者ごとにディスポ製品か滅菌した物を使用する ●人工呼吸器回路を同一患者に使用する際は特別な汚染がない限り定期的に交換する必要はない（肉眼的汚染が明らかな場合，作動不良の場合に交換する） ●人工呼吸器に関連したディスポ製品は再利用しない ●ネブライザーはVAP予防の観点からは使用しないことが望ましい．使用する場合は，同一患者に使用する場合でも使用ごとに洗浄・消毒・乾燥を行い，滅菌された薬液を清潔操作で注入する ●加温加湿器の水は，滅菌水を用い，閉鎖式供給システムを用いる（清潔操作） ●人工鼻を使用する場合は，汚染や破損がなければメーカーが推奨する期間で交換する ●回路内の結露は患者側へ流入しないように除去する ●結核・麻疹・水痘・インフルエンザなど空気感染対策が必要な症例には，排気フィルターを使用する
関連器具の管理	●アンビューバッグやジャクソンリースは患者ごとに使用し，使用期間を決めて交換する（汚染が明らかな場合は，その都度交換する） ●気管支ファイバーは使用ごとに洗浄し高水準消毒以上のレベルを保つ ●関連物品の管理は，「機器・機材の処理法」などに準じて扱い，患者のベッドサイドには必要最低限の数量を準備する

気管挿管	● 気管挿管の際は標準予防策(手指衛生,未滅菌手袋・サージカルマスク・アイシールドなど)を遵守し,清潔操作を行うとともに,体液曝露を防止する ● 誤嚥の防止効果や副鼻腔炎等を考慮し,経口挿管を推奨する ● カフ上部の貯留物を吸引するための側孔付気管チューブの使用を推奨する
気管切開	● VAP予防を目的として早期に気管切開を行う必要はない ● マキシマルバリアプリコーション(滅菌手袋,滅菌ガウン,マスク,帽子,大きな滅菌ドレープ)で行う(「マキシマルバリアプリコーションセット」を用いる) ● 気管切開チューブを交換するときは,標準予防策(手指衛生,非滅菌手袋・サージカルマスク・アイシールドなど)を遵守し,清潔操作を行うとともに,体液曝露を防止する ● Y字ガーゼを使用する場合は,少なくとも1日1回,汚染時は適宜交換する
栄養・腸管の管理	● 可能な限り経静脈栄養よりも経管栄養を用いることが望ましい ● 経管栄養チューブ表面逆流した上部消化管細菌叢の誤嚥を防止するため,経管栄養の目的以外の経鼻胃管チューブは,できるだけ早期に抜去する ● ストレス潰瘍のリスクがある患者には,胃のpHをあげない薬剤を使用することが望ましい
気管吸引	● 気管吸引操作は清潔操作で実施し,必要最小限にとどめる ● 実施の前後で,手指衛生を実行し未滅菌手袋か滅菌手袋を着用し吸引する ● 吸引チューブは滅菌されたディスポ製品を使用し,1回ごと使い捨てとする ● 空気感染(結核・麻疹・水痘など,疑いを含む)の場合や耐性菌に対応する場合は閉鎖式吸引カテーテルを使用する ● 入院病床では,吸引器および吸引回路は患者ごととし,吸引ごとに注水を十分に行い,ユニバーチューブに分泌物が残らないようにする ● 吸引ライナーは許容量に達したら交換する.また吸引チューブは肉眼的汚染が明らかな場合は交換する ● 長期的に使用する場合は,吸引器本体は1日1回清拭清掃する ● 処置室などで吸引器および吸引回路を複数患者に使用する場合は,患者ごとに注水を十分に行い,吸引回路に分泌物が残らないようにする.また,使用頻度が少なくても,吸引回路,吸引ライナーは週1回交換する ● 気管支ファイバーでの吸痰は必要時に行う(日常的に行わない)
誤嚥防止	● 適切な鎮静・鎮痛をはかる ※過鎮静を避け,鎮静スケール(Richmond agitation-sedation scale:RASS)-3〜0で管理する ※鎮静評価は毎日行い,日中の鎮静薬の減量・中断を検討する.なお,鎮痛薬は中断しない ● 仰臥位は避け,上体を30〜45度挙上した体位で人工呼吸器管理を行う(側臥位または腹臥位でもよい) ● 挿管チューブのカフ圧は20〜25 cmH$_2$Oが望ましい.カフ圧は患者の動きで微妙に変化するため体位変換後には確認を行う ● 気管内吸引前や体位変換前,気管チューブの抜去やチューブを動かす際にカフを脱気させる前には,カフ上部の分泌物を吸引する ● 経管栄養を行っている場合は,定期的に経管栄養チューブの位置が確実か確認する ※経管栄養チューブは確実に固定する ※経管栄養を注入する前には,必ず経管栄養用のシリンジを用いて経管栄養チューブから胃液を逆流させ,確実に胃に留置されていることを確認する ※経管栄養注入後も逆流防止のため,30分程度は水平臥位を避ける ● 定期的に口腔ケアを行い,口腔咽頭部細菌叢の減少を図る(口腔ケアの詳細については「H-6 口腔ケア」〈p.128〉を参照)

H

処置・ケア関連

6 口腔ケア

目的	● 口腔内の局所的感染防止，全身的な重症肺感染症の予防
	● 口腔内の清潔や爽快感を得る
	● 口腔機能の維持，改善を図り，支障なく経口摂取の再開が図れる
注意点	● 口腔内所見の観察：口臭，舌苔，唾液分泌量，唾液粘稠度，残存歯・歯肉の状態，歯垢・歯石の有無，付着状態など
	● 歯垢細菌コロニゼーション(デンタルプラーク)には，ブラッシングなどの物理的清掃が大切である．そのほか，必要に応じてポビドンヨードガーグル液7%やアズレンスルホン酸ナトリウム水和物を使用し，洗浄効果を得る
	● 口腔ケア施行時は標準予防策にて個人防護具(手袋，マスク，フェイスシールド，プラスチックエプロン)を着用し，ブラッシングおよび洗浄時の血液・体液の飛散防止に対応する

基本の口腔ケア	● 口腔内所見を観察し，所見に応じたブラシなどを選択する
	● 誤嚥を予防するために，座位または半座位にしてからケアを行う
	● 口腔ケアの前に口唇周囲，頬，鼻前庭の清拭を行う
	● 基本的には水とブラシを使用し，物理的清掃を行う
	● 口内炎，出血などがある場合は出血・組織損傷のないようにスポンジやガーゼなどでケアを行い，歯磨き剤は使用しなくてもよい
	● ポビドンヨードガーグル液7%，アズレンスルホン酸ナトリウム水和物，そのほか洗口剤などは必要に応じて選択し使用する
	● 舌，頬粘膜もスポンジブラシなどを使用し清掃を行い，舌苔形成の予防をする
	● 義歯は食事ごとに専用ブラシで清掃し，就眠時は専用容器に水を張り保管する
人工呼吸器装着中のケア	● 口腔ケアを実施する前に患者への説明と了解を得る
	● 1日1回以上実施する(4〜8時間ごとが望ましい)
	● 処置の前後に口腔内，上気道，気管内それぞれの吸引を行う
	● 挿管チューブのカフ圧を40 mmHgまで上げ，気管への流れ込み防止をする
	● 口腔機能，全身状態に応じて歯ブラシ，スポンジブラシなどを選択しケアを行う
	● 綿球で口腔内を清拭しながら汚染状態を観察する
	● 歯と歯肉の間にある歯垢をターゲットにブラッシングし，吸引しながら洗浄を行う
	● 舌苔の除去は物理的な洗浄で行う．必要時には10倍希釈オキシドール3%含浸綿球を使用する場合もある
	● 口腔内の乾燥が著しい場合は，口腔粘膜湿潤剤の塗布を検討する
	● カフ圧を通常に戻し，患者に終了したことを告げ終了する
専門的ケア	専門的な口腔ケアについては，歯科・顎・口腔外科に相談すること

7 手術部位感染（SSI）防止

🔍 手術部位感染管理

手術部位感染 (SSI)	●手術部位感染(SSI)とは，手術操作の加わった深部臓器や体腔を含め，手術中に汚染を受け一時閉鎖した手術部位の感染である．おもに表層切開部，深部切開部，臓器/体腔に大別され，術後30日以内(インプラントのある場合は1年以内)に起きた感染をいう
ポイント	●術前・術中・術後におけるSSIの影響要因をアセスメントして周術期の準備・ケアを行う

術前管理	●一律に術前患者のMRSA監視培養と除菌は行わない(アウトブレイク時を除く) ●除毛は手術用クリッパーを使用し，可能な限り手術直前に行うことが望ましい 　※術野の体毛が邪魔にならない限り除毛はしない 　※除毛クリームは，皮膚過敏反応を起こす可能性があるため注意する ●手術前夜または当日朝に，シャワー浴あるいは入浴をさせる ●待機手術の術前1か月間は禁煙をする ●血糖値を適切に管理する ●術前の入院期間は可能な範囲で短くする
術中管理	●皮膚消毒に10％ポビドンヨードを使用する場合は，塗布後最低2分間以上の消毒時間(乾燥が目安)が必要である 　※粘膜や臓器の消毒は実施しない ●手術は無菌操作で実施し，壊死組織や膿性組織，異物はできる限り除去し死腔をなくす ●体腔内は，滅菌生理食塩水で可能な限り大量洗浄を実施する ●ドレーンは必要な場合にのみ使用し，できるだけ閉鎖式ドレーンを用いる ●組織への適切な血流を維持しながら有効に止血を行う ●術中，低体温にならないように体温管理を行う〔閉創時から(手術室退出後まで)36℃以上を保つ〕 ●予防的抗菌薬は，切開する皮膚および手術対象臓器にかかわりの深い病原菌に感受性をもつ抗菌薬を選択する ●抗菌薬の初回投与は執刀時に組織内濃度が高まるように適切に投与する．長時間手術では半減期を考慮した追加投与を行う ●手術室の空調は基本的に陽圧管理を保つが，結核など空気感染対応として陰圧管理を実施する場合も想定し対応する
術後管理	●一時閉鎖した創は，滅菌ドレッシング材で48時間保護する ●ドレーンはできるだけ早く抜去し，逆行性感染を防ぐ ●創に触れる際は，標準予防策を遵守し1部位または1患者ごとに手指衛生し，手袋を着用し処置する ●血糖値を適切に管理する ●術後の早期回復への援助(栄養状態，日常的な清潔行動など)を行い，術後の入院期間を可能な範囲で短くする ●退院時には患者に創の感染徴候や症状を教え，その対応方法について説明する ●抗菌薬の術後投与期間は手術手技ごとで有効なプロトコルを作成し，長期間投与する場合は適切な診断(細菌検査や放射線学的診断)に基づいた投与を実施する

抗菌薬の適正使用	●抗菌薬は切開する皮膚および手術対象臓器にかかわりの深い病原菌に感受性をもつ抗菌薬を選択する（「**I　抗菌薬適正使用**」〈p.153〜157〉を参照） ●抗菌薬の初回投与は，執刀時に組織内濃度が高まるように執刀前60分以内に投与する ●長時間を要する手術では抗菌薬の半減期を考慮して術中追加投与を行う ●抗菌薬の術後投与期間は手術手技ごとで有効なプロトコルを作成し，長期間投与する場合は適切な診断（細菌検査や放射線学的診断）に基づいた投与を実施する（「**I　抗菌薬適正使用**」〈p.153〜157〉を参照）
手術室の環境整備	●手術室の清浄度（一般手術室・バイオクリーン手術室）に応じた設備を整え（層流方式・高機能フィルターなど），空調管理（陽圧・陰圧の切替，換気回数，温度・湿度調整）を行う〔「日本医療福祉設備協会：病院設備設計ガイドライン（空調設備編）HEAS-02-2022」参照〕 ●手術室の扉は必要なときを除いて閉めておき，入室人数は必要最小限に留める ●清潔・汚染に対するゾーニングを行い，動線が交差しない管理運用を行うことが望ましい
手術器材の管理	●滅菌物は，本書の「**A-4　洗浄，消毒，滅菌**」（p.15）や各施設の材料部などのマニュアルに準じて管理，使用する ●手術用の器械の滅菌には，滅菌バリデーション＊を担保するため，中央材料部で行う ●ハイスピード滅菌は，不注意で落とした器械の再処理など，代替器械がなく，直ちに使用する器械のみに適応する

＊滅菌のバリデーションとは，滅菌効果を実地に検証し，確実に当該条件で滅菌されていることを確認することである

🔍 包交時の管理 ···

手指衛生	●必要時に手指衛生する ※実施のタイミングは「**A-2　手指衛生**」（p.4）参照
包交車	原則，包交車は使用しない方法を選択することとするが，包交車を使用する場合は以下の点に留意する ●包交車の清潔と不潔のゾーニングを行う ●包交車の上段は清潔区域として扱い，擦式消毒用エタノール製剤と手袋以外は置かない ●包交車内の医療材料，滅菌材料などは必要最低限の物品を定数化し，不要な物は入れない ●生材料とそれ以外の物が混在しないように収納する ●包交時の感染性廃棄物は衛生材料と接することがないよう以下の方法で破棄する ※包交車とは別に感染性廃棄物を破棄するためのカート（廃棄物カート）に入れ，回診終了後にまとめて感染性廃棄物容器に破棄する ※患者ごとに感染性廃棄物容器に破棄する ※上記の方法で破棄することが望ましいが，包交車に感染性廃棄物を載せる際は衛生材料と接することがないようにする ●使用後は環境清拭用ウェットクロスで清拭し，清潔を保つ
個人防護具	●処置者は袖や丈が長い白衣やカーディガンは着用しない ●標準予防策を遵守し，個人防護具を着用し包交を行う
感染経路別予防対策を実施している患者	●感染経路別予防策を実施している患者は回診の最後に包交を行う ●包交車は病室内には入れず，必要物品のみを室内に入れる

▶ 包交手順(図H-4)

処置者と介助者2名，合計3名で行う場合.

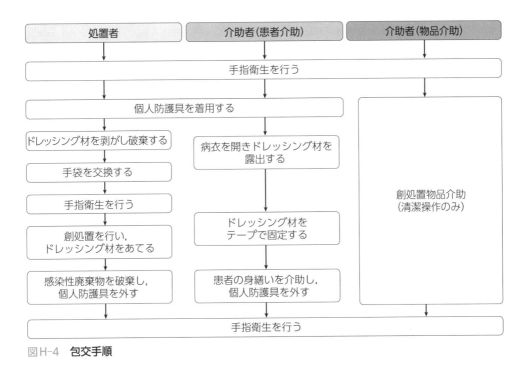

図H-4　包交手順

の内容:

処置者	介助者(患者介助)	介助者(物品介助)

手指衛生を行う

個人防護具を着用する

ドレッシング材を剥がし破棄する	病衣を開きドレッシング材を露出する	創処置物品介助(清潔操作のみ)
手袋を交換する		
手指衛生を行う	ドレッシング材をテープで固定する	
創処置を行い，ドレッシング材をあてる		
感染性廃棄物を破棄し，個人防護具を外す	患者の身繕いを介助し，個人防護具を外す	

手指衛生を行う

🔍 包交車 ·····

▶ 物品管理

1）上段，下段のゾーニング(図H-5)
2）引き出し内(図H-6)

・物品は必要最低限の物を定数化する
・不要な物品は収納しない

【下段：汚染区域】
使用後の銅製小物
や廃棄物を載せる

【上段：清潔区域】
擦式消毒用エタ
ノール製剤と
手袋のみ載せる

図H-5　物品管理：上下段のゾーニング

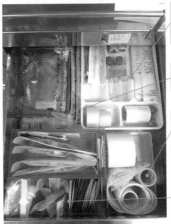

仕切りは拭ける素材(プラスチック等)の物とする
空箱の再利用はしない

消毒薬や軟膏等は開封年月日を記載する

患者に繰り返し使用するテープと衛生材料は仕切りで分けて収納する

破損の原因となるため，
・衛生材料を輪ゴムで留めない
・ハサミ等の鋭利物と衛生材料を一緒に収納しない

図H-6　物品管理：引き出し内

▶ 使用時の注意点

1 ）感染経路別予防策を実施している患者の病室には包交車は入れない．
2 ）回診時，包交車を扱う担当者は清潔操作に徹する．
3 ）患者，患者環境に触った者は手指衛生を行ってから，包交車に触れる．

▶ 使用後の管理

1 ）使用後は引き出しの取っ手を含め環境清拭用ウェットクロスで清拭を行う．
2 ）物品の補充を行う．
　 a ）定数以上の物品は入れないようにし，必要時は定数の見直しを行う．
　 b ）定期的に衛生材料の使用期限を確認する．

包交時の感染性廃棄物の管理 ·······································

　包交時の廃棄物は，以下のいずれかの方法で破棄をする．
1 ）廃棄物カートに破棄する（図H-7）．
2 ）包交ごとに感染性廃棄物容器に破棄する．
3 ）一時的に包交車の下段に置き，回診終了後に感染性廃棄物容器に破棄する．
　※一時的に包交車に置く際は，衛生材料と接することがないようにする．

a 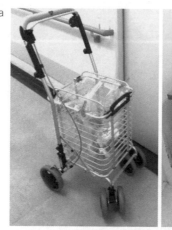  b

図H-7　廃棄物カート
a：廃棄物カート例，b：包交時，廃棄物カートはベッドサイドまでは持って行かず廊下に置いておく

**予防接種（ワクチン）接種前後の
手術可能期間**

▶ 手術前

　不活化ワクチンは1週間前（月曜日に手術であれば，前の週の月曜日まで接種可能），生ワクチンは3週間前まで接種可能である（表H-1）.

表H-1　**おもなワクチンの接種可能期間**

不活化ワクチン（1週間前まで）	生ワクチン（3週間前まで）
Hib（ヒブ）ワクチン	ロタウイルスワクチン
肺炎球菌ワクチン（13価・23価）	BCG
二種混合（DT）ワクチン	麻しん・風しん（MR）ワクチン
三種混合（DPT）ワクチン	麻しんワクチン
四種混合（三種混合－ポリオ）ワクチン	風しんワクチン
ポリオワクチン	水痘（水ぼうそう）ワクチン
インフルエンザワクチン	ムンプス（おたふくかぜ）ワクチン
日本脳炎ワクチン	
ヒトパピローマウイルス（子宮頸がん）ワクチン	
B型肝炎ワクチン	
A型肝炎ワクチン	
その他	
新型コロナウイルスワクチン接種後は2週間以上あけることが望ましい	

▶ 手術後

　全身状態が回復し手術担当医の了解が得られれば，手術後1週間が経過すれば（月曜日が手術日であれば翌週の月曜日），不活化ワクチン・生ワクチンともに接種することが可能である.

　新型コロナウイルスワクチンは術後の状態を確認しつつ，2週間以上あけて接種することを推奨する.

⑨ ドレナージ感染予防

🔍 閉鎖式ドレーン管理 ···

ポイント	●適応のある症例に限り挿入し，排液量が少なければ感染予防のため，早期に(術後48時間で)抜去することが推奨される

適応	●手術直後における腹腔内の異常の早期発見を目的とする場合(情報ドレーン) ●縫合不全を発症した場合の診断・治療を目的とする場合(予防的ドレーン) ●体内に貯留している膿汁や消化液を体外へ排除する場合(治療的ドレーン)
挿入時の注意点	●外科用ドレーンは，手術室など清潔な環境下で挿入することが望ましい ●外科用ドレーンは，手術切開創とは別の切開創から挿入する ●挿入部は滅菌フィルム材や滅菌ガーゼで被覆する ●ドレーン牽引による逸脱や逆行性感染を防ぐため，カテーテルの固定を確実に行う
留置中の管理	●逆行性感染を防止する 　※ドレーンルートの屈曲に注意し，排液が流れるようにする 　※自然落下による圧を利用してドレナージを行う場合は，排液バッグは挿入部より低い位置で，なおかつ排液口が床につかない位置に設置する 　※陰圧式バッグにより陰圧をかけてドレナージする排液バッグは，体幹部と同じ高さに設置する 　※排液の廃棄は，排液バッグの排液口と排液回収容器を接触させないように行い，排液を排除した後は排液口を消毒用エタノールで消毒する ●交差感染を予防する 　※ドレーン排液の廃棄の際などは標準予防策を遵守する 　※複数のドレーンを操作する場合は，1か所ごとに手袋を交換するか速乾性手指消毒剤で手指消毒を行う 　※複数のドレーンがある場合は，ドレーンごとに清潔な排液回収容器を準備する ●ドレーンからの側漏れが多い場合，フィルムドレッシング材やガーゼが剥がれている場合は，被覆材を剥がし，挿入部をポビドンヨードで消毒し被覆材を交換する(定期的に交換する必要はない) ●ドレーン挿入部や固定糸周囲の発赤・腫脹・疼痛・排膿・潰瘍などの有無，周囲皮膚の浸軟や感染の有無，排液の漏れの有無などを確認する ●ドレーンルートの固定 　※ドレーンルートを直接皮膚に固定すると皮膚に圧迫が加わったり，テープの両端に緊張が加わり皮膚障害発生のリスクとなるため，皮膚被膜材となるものを貼付した上に固定する 　※固定用テープまたはフィルムドレッシング材の剥離は，剥離刺激が最小限となるよう行う
排液の処理	●排液の処理を行う際は，標準予防策を遵守する ●排液回収容器は，できるだけディスポのものとする ●排液は専用の汚物流しに廃棄する．ディスポの排液回収容器の場合は，凝固材で排液を固め，感染性廃棄物として廃棄する ●再利用する排液回収容器は，ドレーンごとに用い，使用ごとに洗浄・消毒・乾燥させる ●専用の汚物流しは定期的に清掃する

10 経腸栄養に関する感染対策

ポイント	●経腸栄養剤の汚染を防止するため，経腸栄養剤の調製は衛生的な場所で行う
	●経腸栄養剤の調製を行う流し台は交差感染のハイリスクゾーンである．経腸栄養以外の用途に使用しない
	●経腸栄養剤の調製・投与は，手指衛生・手袋を着用して行う
	●経腸栄養に用いる器具や容器は専用の物品を単回使用とし，清潔に取り扱う
	●缶や紙パック入りの経腸栄養剤または粉末状栄養剤は，開封・調製後は時間経過とともに微生物が増殖するため8時間以内に投与する．できるだけクローズドタイプであるバッグ型：RTH（ready-to-hang）製剤を用いることが望ましい
	●H2-ブロッカーやプロトンポンプ阻害薬（PPI）が投与されている場合や空腸瘻から経腸栄養剤を投与する場合は，胃酸の殺菌作用が期待できないため，より厳重な清潔操作を行う
	●胃食道逆流や誤嚥予防のため，注入中〜注入後の体位や口腔ケアに留意する
	●経鼻栄養カテーテルや胃瘻・腸瘻カテーテルは可能な限り清潔な状態に保つ

　経腸栄養剤は微生物にとって理想的な培地である．経腸栄養剤の保管，調製場所の衛生管理，作成・投与時の衛生管理等を適切に行い，細菌性腸炎防止や誤嚥性肺炎防止に留意した患者管理が重要である．

　経口摂取をしていない（困難な）患者は，唾液の減少により口腔内が乾燥し，粘膜の炎症や口腔内細菌の増殖，嚥下機能の低下による流れ込みを起こしやすい．そのため誤嚥性肺炎を起こしやすく予防するために口腔ケアの実施が重要である．しかし，口腔ケア時の軟口蓋等への刺激による嘔吐反射での誤嚥のリスクもあるため，口腔ケアは口腔内細菌の繁殖を考慮し，就寝前と，経腸栄養剤注入後を避けて8時間を目安に行うことが望ましい．

経腸栄養剤の保管場所・調製場所・使用物品の管理	●医薬品経腸栄養剤は専用の棚などに保管する（段ボール箱入りの経腸栄養剤であっても直接床に置かない）
	●食品経腸栄養剤は，届いたら直ちに調製場所に移動し，投与まで汚染しないよう管理する
	●開封後・調製後，投与までに時間がある場合は冷蔵保管とし，冷蔵庫は専用とする
	●保管場所は定期的に清掃する
	●経腸栄養剤の調製は，専用スペースで行う
	※注射薬調製区域や汚染区域と交差しない場所に，独立した部屋を設置する
	※独立した経腸栄養剤の調製場所がない場合は，専用のスペースを決め，使用後の器材や汚染した医療従事者と交差しないよう調整する
	※経腸栄養剤の調製を行う流し台は専用とし，他の器材などの洗浄に用いない
	※経腸栄養剤の調製場所は空調の直下半径1m以上，水場から1.5m以上離れた場所に作業台を設置し，そこで作成する
	※作業台にワゴンを使用する場合は，経腸栄養剤調製専用とし，ほかの作業に使用しない
	●経腸栄養剤の調製場所には経腸栄養剤調製に必要な物品以外は置かない
	●経腸栄養剤投与容器（ライン付），経腸栄養ライン，ロック式シリンジ等，経腸栄養剤投与に使用する物品は原則単回使用とする
	●粉末状経腸栄養剤の溶解には，原則紙コップを用いる
	※粉末状経腸栄養剤溶解専用ボトルを使用する場合は，使用ごとに洗浄・浸漬消毒を行い，十分乾燥させ，汚染しないよう保管する

H

処置・ケア関連

	●調製・投与作業に専念できるよう業務調整を行う ●作業前に作業台の作業面を環境清掃用ウェットクロスまたはエタノールガーゼで清拭消毒する ●サージカルマスクを着用後，手指衛生を実施し未滅菌手袋を装着する ●粉末状経腸栄養剤など調製が必要な経腸栄養剤は，投与直前に調製を行う ●粉末状経腸栄養剤の溶解には，専用スペースの水道水を用いる ●投与の際は，経鼻栄養カテーテルや胃瘻・腸瘻カテーテルの接続部を消毒用エタノールで消毒してから接続する
調製・投与	●RTH製剤は24時間以内に投与を完了する ●経腸栄養剤投与容器に入れて投与する製剤（缶や紙パック入りの液体製剤，溶解・希釈を行った製剤）は，8時間以内に投与を完了する 　※経腸栄養剤投与後の水の投与も含めて8時間以内に投与を完了する ●経腸栄養剤の継ぎ足しは禁忌であり，持続投与を行う場合は経腸栄養剤投与容器ごと交換する ●胃内に経腸栄養剤を投与する場合，胃食道逆流とその誤嚥による肺炎を予防するため，投与中～投与後30～60分は上半身を挙上した体位を保つ 　※投与時の体位は座位が望ましく，座位が困難な場合には30度以上の上半身挙上が有用であり，患者の消化吸収能・全身状態等を鑑みて体位や体位保持の時間を調整する ●経鼻栄養カテーテル等の内腔に経腸栄養剤が残っていると細菌増殖をまねくため，投与が完了したら栄養カテーテル内を水でフラッシュする
経鼻栄養カテーテル，胃瘻・腸瘻カテーテルの管理	●経鼻栄養カテーテルや胃瘻・腸瘻カテーテルの内腔は細菌の培地となるため，可能であれば定期的に交換することが望ましい ●カテーテルの交換が難しい場合は，微温湯等を用いたカテーテルの内腔洗浄を検討する

⑪ 嘔吐物処理時の感染対策

ポイント	●適切な個人防護具を使用する ●嘔吐物の処理に使用したクロスはビニール袋に密閉し，周囲を汚染しないように運搬・破棄する ●嘔吐物を処理した後，次亜塩素酸ナトリウムまたはペルオキソ一硫酸水素カリウムで消毒清掃する ●終了後は必ず手指衛生を実施し，次の動作に移る

　嘔吐物には感染性微生物が含まれることがある．感染拡大防止のため迅速かつ適切な作業手順により，吐物の拡散を防止することが重要である．

準備	●作業者は，マスク・プラスチックエプロン・手袋の順に個人防護具(PPE)を着用する 　※嘔吐物の飛散が予測されるときは，必要に応じてフェイスシールドなどをあわせて使用する ●0.1%の次亜塩素酸ナトリウムを含有したディスポクロスを準備する 　※次亜塩素酸ナトリウムは，温度・日光により濃度が低下するため，使用直前に準備する 　※必要に応じてセット化されたものを準備しておく ●汚染物を受けるビニール袋と使用したPPEなどを受けるビニール袋を広げておき，ビニール袋の外側が汚染しないようにする ●直ちに嘔吐物を除去できない場合は，嘔吐物にディスポクロスなどを被せ，嘔吐物周囲に近づかないように周囲へ注意を促す
実施時の注意点	●嘔吐物は，ディスポクロスで飛散範囲の外側から，中心に向かって包み込むように集め除去する ●嘔吐物が除去されたら，0.1%の次亜塩素酸ナトリウムを含有したディスポクロスで消毒清掃を行う 　※1mほどの高さから嘔吐すると，吐物は半径2mほどの範囲に飛散するため，広範囲に消毒清掃は行う ●嘔吐物除去，消毒清掃に使用したクロスはビニール袋に入れ口を閉じる ●手袋，プラスチックエプロン，マスクの順にPPEを外し，手指衛生を行う
片付け	●使用した物品は周囲を汚染しないよう注意して運搬し，使用したクロス・PPEは感染性廃棄物容器に捨てる ●使用物品などを片付け後，再度，手指衛生を行う 　※クロストリディオイデス・ディフィシル(CD)，ノロウイルスなどはエタノールが効かないため，必ず流水と石けんで手洗いを行う

12 排泄ケア（オムツ交換）時の感染対策

ポイント	●個人防護具（PPE）は患者ごとに交換する ●尿や便に接触した手袋で，患者の寝具や新しいオムツに触れない ●汚染した便器やオムツなどを患者環境や床に直接置かない（周囲を汚染しないよう運搬・破棄する） ●便器や陰部洗浄ボトルなどのケア用品は都度交換し，洗浄するなど適切に管理する ●終了後は必ずPPEを外し，手指衛生を実施し次の動作に移る

　排泄ケア（オムツ交換）は，患者の排泄物を取り扱うケアであり，不適切なケアの実施による環境汚染から交差感染の原因となり得る．標準予防策の遵守と適切な作業手順により，排泄物の拡散を防止することが重要である．

準備	●使用物品の準備は患者ごとに行い，物品の共有による交差感染を防止する ●作業者は手指衛生後，マスク，プラスチックエプロン，手袋の順に個人防護具（PPE）を着用する 　※手袋は着用する 　※排泄物の飛散が予測されるときは，必要に応じてフェイスシールドなどをあわせて使用する ●使用物品は，作業しやすいよう作業ワゴンなどに準備する 　※汚染物を受けるビニール袋と使用したPPEなどを受けるビニール袋を広げて置き，ビニール袋の外側が汚染しないようにする 　※床上排泄や陰部洗浄でベッドの汚染が予測されるときは，必要に応じて防水シーツなどを使用する
実施時の注意点	●尿器や便器を用いて床上排泄を行う場合は，病衣や寝具など周囲を汚染しないよう患者の体位や容器の位置を調節する ●オムツ交換の際は，オムツで排泄物を包み込み，オムツの汚染がない部分に臀部がくるようオムツの位置を調整し，ケア実施者の手指の汚染が最小限となるようにする ●状況に応じて，陰部清拭・陰部洗浄を行う 　※石けんを十分に泡立て，陰部，肛門の順に洗浄し，洗浄後の水分を拭き取る 　※便器内の排泄物に触れないよう便器を外す．オムツは汚染部分に触れないよう内側にまとめるようにして外す 　※使用した便器はワゴンの下段に置く．オムツはビニール袋に入れて口を閉じてから，ワゴンの下段に置く 　※手袋を交換し，新しいオムツに交換し寝衣を整える ●手袋，プラスチックエプロン，マスクの順にPPEを外し，手指衛生を行う
片付け	●使用した物品は周囲を汚染しないよう注意して運搬し，使用したオムツ・PPEは感染性廃棄物容器に捨てる ●使用した尿器・便器・洗浄ボトルは患者ごとに熱水消毒（ベッドパンウォッシャー）または浸漬消毒を行う ●使用したワゴンも清拭清掃を行う ●使用物品などを片付け手指衛生を行う 　※必ず流水と石けんで手洗いを行う（下痢の排泄ケア後も，感染性胃腸炎の可能性があるため手洗いを行う）

⑬ 軟性内視鏡に関する感染対策

ポイント	●実施者および介助者は適切に手指衛生を行う
	●実施者および介助者は皮膚・粘膜曝露から自身を守るため，個人防護具（PPE）を着用する
	●軟性内視鏡の実施に際しては，処置操作による体液などの飛散や医療従事者の汚染した手袋による接触などによる環境汚染が最小限となるようにする．特に光源・PCキーボードなどを操作する際には注意する
	●軟性内視鏡および処置具は，使用ごとにトレーニングを受けた専従者が洗浄・高水準消毒，日常点検を行い，専用の保管庫で保管する．また，臨床工学技士による，保守点検を行うなどシステム化された一元管理が重要である
	●高水準消毒薬の曝露対策を行い，洗浄者の健康被害防止に努める
	●内視鏡実施記録および内視鏡洗浄記録を適切に行い，トレーサビリティ*が行えるようにする

＊トレーサビリティとは，どの患者に，いつ，誰が，どこで，どの内視鏡を使用したのか，また使用した内視鏡を，いつ，誰が，どの洗浄機で洗浄したのか追跡調査が行えるシステム．処置オーダーまたは内視鏡オーダーが起点となるため，実施者などはオーダー入力およびスコープIDの読み取りを確実に実施すること．

　軟性内視鏡を用いた検査・処置は粘膜に直に接する患者にとって侵襲的な処置であり，清潔を保ちながら行う必要があるが，検査・処置の特徴上，使用物品・実施環境を患者の体液などで汚染してしまう検査・処置である．また，軟性内視鏡の機器の特徴として構造が複雑で細かな部品や内腔を有するため，破損・故障の確認や洗浄・消毒などの管理が難しい機器であるにもかかわらず，繰り返し複数の患者に使用することから，適切な再生処理が行われないと，病原性微生物を次の患者に伝播させる危険性がある．そのため，軟性内視鏡（備品など含む）および実施環境，実施者など介した感染を起こさないよう，標準予防策に基づいた対策を徹底することが重要である．

実施者・介助者の標準予防策の徹底	●適切な手指衛生の徹底（WHOの5つのタイミングに準じた速乾性手指消毒剤による手指消毒を基本とし，肉眼的な汚染がある場合は手洗いを実施する）
	●実施者および介助者は患者の皮膚・粘膜曝露から自身を守るため，また，交差感染を防止するため，PPE（手袋・ガウン・マスク・アイシールド）を確実に使用する
	●役割分担・ゾーニングを明確にし，実施者および介助者を介して環境汚染を拡大しないよう注意する
実施環境の管理	**1. 内視鏡センター**
	●検査前に検査室内は清掃し，見た目に汚れのない清潔な状態としておく
	●検査室は汚染管理区域（感染性物質が発生する室で室外への漏出防止が要求される）として，検査室内のゾーニングを適切に行い，汚染を拡大させないように物品・環境を使用する
	※検査室内の流し台は手洗い専用として使用し，清潔に保つ
	※検査室内に入れる物品は最小限とし，未使用の物品（清潔）の汚染を防止する
	※交差感染を防止するため，使用後の物品は再使用する物品（軟性内視鏡本体など）の置き場を定め，速やかに処理を行う．また，単回使用物品は，使用後は速やかに廃棄する
	※検査ベッドはディスポシーツなどで覆い患者ごとに交換する
	※検査ベッドおよび作業台は検査・処置終了後に，環境清掃用ウェットクロスで清拭清掃を行う
	※検体処理などの作業は作業台で行う
	※軟性内視鏡の光源は，精密機器であり清掃がしづらい構造のため，汚染を最小限とするため，光源の上で物品の準備などは行わない．汚染してしまった場合は環境清掃用ウェットクロスで清拭清掃する
	●軟性内視鏡の光源，検査室内のPC（キーボード，マウス）は，汚染された手で触れられることが多く，検査ごとに環境清掃用ウェットクロスで清拭することが望ましい

実施環境の管理	● トイレは通常清掃のほか，汚染時は直ちに清掃を行う ● 結核など空気感染対策(疑い含む)が必要な患者に実施する場合，陰圧対応室で，その日の最後に実施することが望ましい．また，使用後の清掃は，20分間閉鎖換気した後，サージカルマスクを装着し通常清掃を行う **2. 病棟など** ● 使用前の軟性内視鏡などの使用物品を汚染しないよう，またベッド周囲の物品を検査・処置に伴う体液などの飛散で汚染しないよう，できるだけ作業スペースを確保する ● 使用する物品はワゴンなどの作業台に置き，作業は作業台で行い，患者ベッドやオーバーテーブルを作業台として用いない ● 光源を用いる場合は，光源は精密機器であり清掃がしづらい構造のため，汚染を最小限とするため，光源の上で物品の準備などは行わない．汚染してしまった場合は環境清掃用ウェットクロスで清拭清掃する ● 必要に応じて，ディスポシーツを用いて患者環境を覆い，汚染を最小限にする ※患者の療養・居住場所で軟性内視鏡を用いた検査・処置を行う場合，患者の私物など，検査・処置などとは関係ない物品が多数存在するうえ，検査・処置に必要なスペースを確保することが難しい場合もある．専用の検査室で実施する場合以上に使用物品や実施者の手を介した汚染に留意して実施する
使用直後の軟性内視鏡の処理	● 機器の外表に付着した血液や体液を濡れガーゼで拭き取る ● 蒸留水(準備できる場合は洗浄液)を吸引し，吸引・鉗子チャンネルを吸引洗浄する．送気送水チャンネルがある場合は，専用ボタンに付け替え送気送水チャンネルも吸引洗浄する ※外表の清拭，吸引・鉗子チャンネルの洗浄にエタノールを用いると，分泌物が凝固・固着してしまうため使用しない ● 汚染した器材が患者などと接触することを防ぐため，使用後の軟性内視鏡は以下の方法で取り扱う ※内視鏡センターでは，使用後の汚染されたスコープは専用の搬送用コンテナに入れ，速やかに洗浄員が処理する ※内視鏡センター以外では，使用後の汚染されたスコープは専用の搬送用コンテナに入れ，内視鏡洗浄依頼票を付けて洗浄に出す ※使用前(清潔)の内視鏡に付いていた保護キャップは着けない
洗浄室の管理および洗浄者の健康管理	● 内視鏡検査室と別に洗浄・消毒室を設け，汚染した物品や高水準消毒薬に患者が曝露しないようにする ● 高水準消毒薬の飛散・曝露防止のため，内視鏡自動洗浄・消毒装置を使用する．また，強制排気装置による十分な換気を行う ● 用手洗浄時の飛散防止および内視鏡の折れ曲がりなど破損防止のため，洗浄は十分な広さと深さの流し台で実施する ● 洗浄・消毒ゾーン，乾燥ゾーンと作業工程に応じたゾーニングを行い，清潔な内視鏡と汚染した内視鏡(担当洗浄員も含む)が交差しないようにする ● 洗浄者はPPE(手袋・ガウン・マスク・アイシールド)を使用し，曝露防止を行うとともに汚染したPPEによる環境汚染を防止する
軟性内視鏡および付属品の洗浄・消毒	● 洗浄・消毒の均一化の観点から内視鏡自動洗浄・消毒装置を用いる ● 自動洗浄・消毒装置で洗浄を行う前に，漏水テスト，用手洗浄(スコープの外表面の洗浄，吸引・鉗子チャンネル内のブラッシング洗浄など)を行い，細部の洗い残しを防止するとともに，スコープ破損などの確認を行う ● 無菌組織に使用するリユース内視鏡処置具は洗浄・滅菌を行う ● ディスポ処置具は再生使用しない ※当院では内視鏡センター作成の「内視鏡の洗浄・消毒マニュアル」に準じ，洗浄前点検，内視鏡洗浄・消毒，処置具の洗浄・消毒および滅菌などを行う
軟性内視鏡の保管・管理	● 専用の内視鏡保管庫またはコンテナに入れ専用カートで保管する ● 内視鏡保管庫は1回/週，委託洗浄員が整備・清掃する(汚染時はその都度実施) ● 軟性内視鏡は使用頻度などに鑑みて培養検査を実施し，保管中の清浄度を評価する

軟性内視鏡は管理医療機器(クラスII)および特例保守管理医療機器(「医薬品，医療機器等の品質，有効性及び安全性の確保等に関する法律」の分類)であり，適正な管理が行わなければ重大な影響がでる恐れがあるものとして，保守点検や修理，そのほかの管理に専門的な知識や技能が必要とされている．医療安全の面からも厳重な管理が必要である

14 ICUの感染対策

　ICU入院患者は，高度な侵襲を背景に免疫機能が低下し，易感染状態であることが多い．また，多くの症例で人工呼吸のための気管挿管チューブや体外循環装置〔体外膜式人工肺（ECMO），持続的血液濾過透析（CHDF）など〕用として径の大きい血管内カテーテルが留置されているほか，モニタリングのための中心静脈ライン，尿道留置カテーテルなどの医療器具が複数装着されている．このほかにも体液貯留に対するドレナージ治療など，体内の無菌域が外界にさらされる治療が日常的に行われており，感染リスクが非常に高い．また，広域抗菌薬が投与されている場合が多く，多剤耐性菌発生にも注意が必要である．

手指衛生	●ICU入室時は，すべての医療者は手指消毒を行う
	●WHO手指衛生5つのタイミングを遵守し手指衛生を行う
	●特に外科的処置や，気管内吸引，薬剤投与など清潔操作前は，必ず手指衛生を行う
	●手指衛生の評価として，手指消毒薬使用量のモニタリングを継続的に行う
感染経路別予防策	感染経路別予防策が必要な感染症時に加え，ICU入室14日以上を経過した患者に対して，接触感染対策を実施する（当院独自のルールとする）
個人防護具	●手袋 ※標準予防に準じて使用する ※手袋を装着のまま，包交車やPCなどの環境に触れてはならない ●サージカルマスク ※標準予防に準じて使用する ●エプロン・ガウン ※標準予防に準じて使用する ※清潔ケア，ストーマ交換，ドレーン排液回収，包交，吸引，口腔ケア時はビニールエプロンを着用する．体液では上肢・下肢が汚染されるリスクがある場合はビニールガウンを使用する ※接触感染対策患者に触れる際は，ビニールガウンを着用する（患者や患者のベッドサイド環境に触れない場合は，着用しなくてもよい） ※接触感染対策患者を搬送する際は，ビニールガウンを着用する ※医療廃棄物を運搬する際は，ビニールエプロンを着用する ●アイシールド ※標準予防に準じて使用する ●キャップ ※基本的には，マキシマルバリアプリコーション時のみの着用でよい ●感染経路別予防策が必要な細菌やウイルス〔「C 感染経路別予防策」（p.45～51）参照〕が検出された場合は，病原体別対応を踏まえ感染経路別予防対策に準じてPPEを使用する

環境・器材の管理	●個室の扉は必ず閉める ●患者ベッドサイドの物品は決められた物以外は置かないよう注意し，周囲の整理整頓を常に意識する ●目にみえる汚れ・埃は清拭清掃により物理的に除去する ●清掃方法 ※医療機器や医療物品などの環境整備は病院職員が清掃する ※床が血液や体液などで汚染された場合，物理的除去後0.05〜0.1%次亜塩素酸ナトリウムを用いて消毒し，その後水拭きを行う ※看護補助者は，シンクを中性洗剤で十分洗浄し，排水口を塩素系台所用漂白剤で消毒することを毎日実施する ※患者周囲は環境清掃用ウェットクロスで毎日清掃消毒を実施する
抗菌薬の適正使用	抗菌薬使用量・使用期間の削減・特定抗菌薬の使用制限について，ASTの提案を考慮しつつ抗菌薬の適正使用に努める
入退室に関する内容	ICU入室の長期化に伴う感染症を避けるため，入室14日とその後は2週間ごとをめどに，一般病棟への転棟を検討する
呼吸器管理・人工呼吸器関連肺炎予防	●「H-5 人工呼吸器関連肺炎(VAP)防止」(p.126)と「H-6 口腔ケア」(p.128)の項を参考に防止策を実施する ●口腔ケア時，セルフケアのできる患者は個人の歯ブラシとコップを使用し，口腔ケア用流しで洗浄する．人工呼吸器管理中や感染対策が必要な患者はディスポ歯ブラシと紙コップを使用する ●呼吸器離脱翌日に呼吸器回路の組み直しを行い，専用のビニール袋で覆い次の患者の使用に備える ●インスピロンやTピースを使用時は，回路を毎日交換する
カテーテル関連血流感染予防	●「H-2 カテーテル関連血流感染(CABSI)防止」(p.120)の項を参考に防止策を実施する ●観血式血圧測定ライン(動脈ライン) ※挿入時は，キャップ・マスク・滅菌手袋・小型穴あき滅菌ドレープを用いる ※挿入時の消毒は，1%クロルヘキシジンを含有したエタノール製剤，または10%ポビドンヨードを用いる ※刺入部管理は「H-2 カテーテル関連血流感染(CABSI)防止-中心静脈カテーテル管理」(p.120)の項に準ずる ※圧トランスデューサーおよびそのほかの部品(連結管，フラッシュ溶液など)は96時間隔で交換する ●透析カテーテル用フラッシュデバイス ※フラッシュ溶液は96時間間隔で交換する ※デバイス用ルート一式は1週間ごとに交換する ●大腿動静脈に留置されたカテーテル ※大腿動静脈に留置される，ECMOや大動脈内バルーンパンピングなどのカテーテルは，陰部に近い場所に挿入されるため，感染予防と感染徴候の観察が重要である ・留置部の消毒は，1%クロルヘキシジンを含有したエタノール製剤か，10%ポビドンヨードを用いる(ポビドンヨード使用時は必ず2分以上接触させ消毒すること) ・留置部は，原則フィルムドレッシング材を使用し，1週間ごとに処置を行う．出血などのためガーゼ保護をしている場合は，毎日処置を行う
面会	●面会者への手指衛生の方法を指導し入室前後の実施を依頼する ●飛沫感染対策が必要な患者には面会者はサージカルマスクの着用のうえ面会を行う ●空気感染対策が必要な挿管患者にバクテリアフィルターが装着されていることを看護師は確認し，面会者はサージカルマスクを着用のうえ面会を行う
スタッフの管理	ICU入室時の服装 ●爪を短く切り，手や腕に装飾品や時計を着けない ●ベッドサイドで，袖や丈が長い白衣やカーディガンを着用しない

⑮ NICU/GCUの感染対策

ポイント	●医療従事者等を介した感染を防止する ●易感染状態にある児を医療関連感染より守る ●各種機器の清掃や消毒などに留意し衛生的な管理に努める ●面会者などによる感染症の持ち込み防止に努める

　NICU/GCU入院患児は，易感染状態である新生児のなかでも，①すべての処置・ケアに複数のスタッフの手が必要となる，②集中管理を行うため各種チューブ類が挿入されるが，身体が小さいことから侵襲的処置の部位と常在菌の存在する部位が隣接する，③出生時は無菌状態であり，出生後数日から常在菌叢を徐々に形成していくため，耐性菌を獲得しやすい状況にある．これらの特徴を踏まえて標準予防策と感染経路別予防策を実施する（表H-2）.

手指衛生	●すべての利用者はNICU/GCU入室時，退室時などに手指衛生を行う ●保育器に収容されている患児の処置・ケアを行うときは，手首までではなく肘まで手指衛生を実施する ●そのほか，手洗いや手指消毒が必要な場面に応じて確実に実施する
個人防護具	●手袋 　※早産児は皮膚の感染防御機能が未熟であるため，児の皮膚に触れる際使用する 　※カテーテルや，ドレーン留置中の患児の排液バッグなどに触れる際は手袋を装着する ●サージカルマスク，アイシールド 　※標準予防策に準じて使用する ●エプロン・ガウン 　※コットや開放式保育器等で作業やケア内容に応じて使用する ●そのほか，病原体別対応を踏まえ感染経路別予防対策に準じて個人防護具（PPE）を使用する
環境・器材の管理	●患者エリアには必要以上に物品を置かない ●保育器やコットの間隔をできるだけ確保し，周囲の整理整頓を行う ●目にみえる汚れ・埃は清拭清掃により物理的に除去する ●清掃方法 　※床・手洗いシンクなどの清掃は，病院委託業者により毎日実施する 　※医療機器や医療物品などは器機ごとに決めた回数の清掃や消毒をする 　※床が血液や体液等で汚染された場合，環境清拭用ウェットクロスで2度拭き以上を行う．HBV，HCV，HIVなど感染症がわかっている場合は0.05〜0.1%次亜塩素酸ナトリウム等を用いて消毒し，その後水拭きを行う 　※シンクや沐浴槽など水回りは中性洗剤で十分洗浄しそのあと乾燥させ，必要時消毒する 　※患者周囲は環境清拭用ウェットクロスで定期的に清拭を行う ●患児に使用する器材などは，可能な限り個別使用とする
面会	●基本的には，両親のみの面会とする．兄弟姉妹の面会などは主治医の許可により実施を検討する ●入室前に面会者の健康チェックを行い体調不良者は面会を中止する．また面会簿により在室時間を把握する ●感染予防対策への理解と協力を説明し，手指衛生や（必要時）PPEの使用を依頼する

H

処置・ケア関連

保育器の清掃・消毒	●日常的な清掃 ※閉鎖式保育器内は細菌が繁殖しやすい温度と湿度に保たれているため細菌の温床となりやすい．そのため，閉鎖式保育器は1日2回以上，環境清拭用ウェットクロスで清拭する．汚染された場合はその都度清拭を行う ※コット・開放式保育器の清掃は1日2回以上環境清拭用ウェットクロスで清拭を行う ※閉鎖式保育器の清拭は患児の頭側から足側に向かって拭く（頭側→天井→側面→マットレス・マットレス下→足側） ※コット・開放式保育器の清掃も閉鎖式保育器と同様に頭側→足側に向かって拭く ※閉鎖式保育器の水槽の蒸留水は毎日交換する ※閉鎖式・開放式保育器のシーツ交換は週/1回で行い，患児が直接触れるリネンは毎日交換する．汚染があればその都度交換する ※コットのシーツは毎日交換する ●使用後の清掃 ※コットは，2週間に1回交換を行い，使用後に環境清拭用ウェットクロスで清拭しカバーをかけ保管する ※閉鎖式保育器は，原則的に1週間に1回交換を行い，ベッドセンターに洗浄を依頼し，MEセンターで点検を行う ※開放式保育器は，使用後に環境清拭用ウェットクロスで清拭しカバーをかけ保管する
調乳	●調乳前には手指衛生を行い，手袋，マスク，エプロンを着用する ●調乳したミルクは5℃以下のミルク専用冷蔵庫で保管する ●調乳したミルクは24時間以内に使用する ●乾式のミルク加温器を使用し毎日清掃する
スタッフの管理	●NICU/GCU入室時の服装 ※爪を短く切り，手や腕に装飾品を着けない ※白衣等（半袖）はNICU/GCU内専用とし，NICU/GCUを退出するときは，外用白衣を着用する ※手荒れに注意しハンドケアを行う

レベル	耐性菌検出数 （直近4週以内の）	部署の対応	NICU/GCUの入室制限および行政への対応
0	0	通常対応	なし
1	1-2	患者をできる限りゾーニングする 担当看護師は受け持ちに専念する ICTによる手指衛生，PPEの着脱の確認をする	なし
2	3-4	診療科，部署とICTによるカンファレンスで以下を確認 ①アウトブレイクの確認 ②対象患者の移動，退出，退院の確認	児のNICU入室を前提とした母体搬送の制限検討 院外からの新生児搬送を制限の検討 感染者の転科，転棟を検討する
3	5-6	関係診療科とカンファレンス（小児，小児外科，産科，ICTなど） ①院内各所にアウトブレイク対応を周知する ②NICU/GCU内の一斉清掃・消毒の実施 ③入院患者へのムピロシンの使用の検討	児のNICU入室を前提とした母体搬送の制限 院外からの新生児搬送を制限 自治体や保健所に相談を行う
4	7-8	院内からの新規入院は感染エリアの対極に収容 環境培養の実施	児のNICU入室を前提とした母体搬送の中止 院内からの新生児搬送の制限 自治体や保健所に報告を行う
5	9-	病棟閉鎖 レベル0となるまでの新規入院を中止	児のNICU入室を前提とした母体搬送の中止 院外からの新生児搬送の中止 院内からの新規入院の中止

※1　検出数/4週は新規検出数のみを対象とする

※2　病棟の対応は持ち込みによるものも対象とする．入室制限に関しては持ち込みによるものは対象としない．院内流行株であるかどうかは問わない

※3　新規検出数0が4週間継続した場合はレベルを1ランク下げる，さらに続けて2週間0が継続した場合はもう1ランク下げる

※4　レベル2以上の場合，MRSAで重症になる可能性のあるハイリスク例（極低出生体重児・超低出生体重児など）は，パーテイションを用いて逆隔離をする

※5　ムピロシン塗布なしで3週間アクティブサーベイランスにより陰性の場合，その児は数字上は陰性扱いにする（エリアは必ずしも変えない）

H

処置・ケア関連

16 検査部門の感染対策

注意	検査室内においては以下の事項を常に厳守する
	●関係者以外の立ち入りを禁止とする
	●検査室内では専用の作業衣を着用する
	●作業には手袋に加え必要な個人防具を着用する
	●手袋をしたまま髪の毛や，顔，マスクに触らない
	●爪は短く整え，手洗いが効果的に実施できるようにする
	●ほかの職員や患者からみて不快な印象とならないよう髪色や装飾品を整える
	●机上を整理整頓し，清掃や消毒が容易に行えるようにする
	●検査室外に出るときは，マスクと手袋は捨て，作業衣を脱ぎ，手洗いをする
	●作業衣は洗濯を適宜行い清潔に保つ
	●検査室内では飲食を禁止する（休憩スペースで飲食は行う）
	●1勤務に2回（作業の前と後）には作業台の消毒を行う
	●必要に応じ感染対策として安全キャビネットを使用する（結核菌，プリオン，SARS-CoV-2など）

▶ 微生物災害とは

　検体検査を実施するにあたり，検体中には健康人にも感染の危険がある微生物が存在する可能性があるため，「検体は常に危険なもの」として扱う．検査担当者は微生物災害（biohazard）が発生しないよう常に心がけるべきであり，検体の取り扱い方の原則を守る．また，万一微生物災害が発生した場合に備え，その対応策についてあらかじめ熟知しておく．

▶ 微生物災害の感染経路とその対策

　微生物災害の感染経路としては，患者あるいは検査材料との接触，エアロゾルの吸引，などが重要である．作業にあたっては以下の項目を厳守する．
1）検査材料との接触防止
　　検査材料を扱う際にはディスポ手袋に加え必要な個人防護具を着用する．
2）エアロゾル感染に対する防御
　　ピペット操作，遠心分離操作，白金耳操作（塗抹標本の作製や検体を画線する際など），振盪・攪拌後の開栓，病原体を含む液の滴下・混合などは，エアロゾルが発生しやすいため特に注意が必要である．操作は必要に応じて安全キャビネット内で行う．

▶ 機器の保守点検について（表H-3）

表H-3　機器の保守点検

機種	点検	その他
安全キャビネット	定期点検	HEPAフィルターの交換
オートクレーブ	定期点検	

17 放射線部門の感染対策

ポイント	●施行前に感染症の有無，対応を確認する
	●標準予防策の遵守
	●感染経路別予防策の実施(時間)の調整
	●検査室などの環境，装置・器具・器材などの衛生管理を適切に行う
	●感染症が後で判明したときは，ICTと協議し対策を講じる

　放射線部門は，組織横断的に活動しており，①入院患者・外来患者，保菌を含む感染症患者・易感染性患者・各種カテーテル等を留置した患者など多様な患者と接触する，②検査室・病室・手術室・救急外来など様々な場所で業務が行われる，③業務が多岐にわたる(X線一般撮影・血管撮影・透視検査・CT・MRI・核医学・放射線治療など)，④装置・器具・器材などを共有する，といった特徴がある．このため，スタッフや装置・器具などを介して感染を伝播させないようにするとともに，観血的な処置の場合などスタッフ自身が感染の曝露を受けないことが重要である．

手指衛生	●患者ごとに手指衛生を行う
	●カテーテルやドレーンを留置した患者の排液バッグなどに触れる際は，手袋を装着する
実施時間の調整	●検査室・待合室での交差感染を防ぐため，保菌を含む感染症患者や易感染性患者，その他の患者との施行時間を分ける
環境清掃	●標準予防策に従って行う
	●病原体による汚染が考えられる場合には，病原体別対応に従って行う
装置・器具・撮影補助具	●装置・器具・撮影補助具の洗浄や清拭清掃は，取り扱いに応じた方法を定め，定期的に行う．また，汚染された場合は，その都度行う ※使用する薬剤によって製品の劣化やサビの発生などの可能性がある ●高頻度に使用するプロテクターは，汚染されないよう状況に応じてプロテクターの上にプラスチックエプロンなどを装着して使用し，定期的に清拭清掃を行う．また，汚染された場合は，その都度，環境クロスで清拭清掃を行う ※プロテクターは，個人防護具(PPE)ではない ●血液・体液などで汚染される恐れがあり洗浄や清拭清掃ができないものは，汚染されないようディスポシーツやビニール袋などで覆い，定期的に交換する．また，それらが汚染された場合は，その都度交換する
造影剤注入など	●造影剤を注入する際は，検査内容に応じた対策を取り「血流感染防止対策」「末梢静脈からの造影剤注入」(「**H-2 カテーテル関連血流感染〈CABSI〉防止**」〈p.120〉参照)などに準じて実施する ※患者ごとに擦式消毒用エタノール製剤を用いて手指消毒を行い，サージカルマスク・未滅菌手袋を装着する ※三方活栓または注射用ポートは，エタノール綿でまんべんなく強く擦って消毒し，消毒効果が発揮されるまで30秒待つ ●穿刺および抜針の際は，前後で手指衛生を行い，手袋を装着して実施する ●抜針した針は，リキャップせず，すぐに簡易針捨て容器または感染性廃棄物容器に廃棄する

血管系手技*1	● 血液を直に取り扱い，さらに針や鋭利な医療材料などを使用するため「血流感染防止」と「針刺し・切創，皮膚・粘膜曝露」の両方の観点から，感染対策を実施する ※術者・直接介助者は，プロテクターの上にマキシマルバリアプリコーション(滅菌手袋，滅菌ガウン，サージカルマスク，帽子，大きな滅菌ドレープ，必要に応じてフェイスシールド)を行う ※診療放射線技師・外回り看護師などが患者や患者環境に触れる際は，標準予防策(サージカルマスク・プラスチックエプロン・手袋・必要に応じてフェイスシールド)を遵守する ※血管造影剤などを注入する際は，血流感染防止対策に準じて行う ※マキシマルバリアプリコーション・PPEを外した後は，手指衛生を行う ● 検査台(寝台など)は，ディスポシーツなどを敷いて使用し，患者ごとに交換する．また，使用後は，環境清掃用ウェットクロスで清拭清掃を行う ● リユースする器具・器材は，材料部の取り決めに準じて処理を行う ※ディスポ製品を再滅菌して使用しない ● 医療廃棄物および感染性廃棄物は，分別表に従って廃棄する ● 検査終了後は，器材などを展開した台や検査室内の床の清拭清掃を行う ● 使用物品などを片付け後，再度，手指衛生を行う
非血管系手技*2	● 肝胆道系検査では，ドレナージ(または造影用)チューブを介しての逆行性感染や胆汁による環境汚染などによる交差感染を防止するため，標準予防策を遵守する 胸腔，腹腔(消化管・泌尿生殖器)などの検査では，体液を直に取り扱い，時に出血も伴うため，標準予防策を遵守する ※針や鋭利な医療材料などを使用する場合「針刺し・切創，皮膚・粘膜曝露」の観点から，感染対策を実施する ※術者・直接介助者は，プロテクターの上に防水性のサージカルガウン・サージカルマスク・帽子・滅菌手袋を装着する(必要に応じてフェイスシールドを装着する) ※診療放射線技師・外回り看護師などが患者や患者環境に触れる際は，サージカル・マスク・プラスチックエプロン・手袋(必要に応じてフェイスシールド)を装着する ※造影剤を使用する際は，検査に応じた清潔操作で行う ※PPEを外した後は，手指衛生を行う ● 検査台(寝台など)は，ディスポシーツなどを敷いて使用し，患者ごとに交換する．また，使用後は，環境清掃用ウェットクロスで清拭清掃を行う ● リユースする器具・器材は，材料部の取り決めに準じて処理を行う ※ディスポ製品を再滅菌して使用しない ● 排液の処理を適切に行う ● 医療廃棄物および感染性廃棄物は，分別表に従って廃棄する ● 検査終了後は，器材などを展開した台や検査室内の床の清拭清掃を行う ● 使用物品などを片付け後，再度，手指衛生を行う

＊1：血管撮影・CVカテーテル挿入・CVポート造設など

＊2：経皮経肝胆道ドレナージ造設・胆管ステント挿入・胆管ドレーン造影および交換・胸腔ドレナージ・肝膿瘍，腹腔膿瘍ドレナージ・腎瘻造設・イレウスチューブ挿入・瘻孔造影・各種ドレナージ造影および交換など

18 リハビリテーション部門の感染対策

ポイント	●実施前に感染症の有無，対応を確認する
	●標準予防策の遵守
	●感染経路別予防策の実施と訓練場所・順番(時間)の調整
	●訓練環境，訓練器具の衛生管理を適切に行う
	●感染症が後で判明したときはICTと協議し対策を講じる

　リハビリテーション部門は，組織横断的に活動しており，①スタッフは患者と濃厚に接触する，②保菌を含む感染症患者・易感染性患者・各種カテーテルを留置した患者にかかわる，③訓練室・病室など様々な場所で行われる，④入院患者・外来患者が同じスペースを利用することがある，⑤訓練器具・物品を共有する，といった特性がある．このため，スタッフや訓練器具などを介して感染を伝播させないようにすることが重要である．

手指衛生	●清拭・洗浄ができない訓練器具・物品を使用する場合は，訓練の前後で患者にも手指衛生を実施してもらう
訓練場所・順番の調整	●病原体別対応に従い，リハビリテーション室で行う場合とベッドサイドで行う場合について判断する
	●リハビリテーション室では，保菌者・外来患者と易感染性患者の訓練実施時間を分けて行う
	●実施中は，易感染性患者とその担当スタッフは，ほかの患者に接触しないよう距離を保つ
環境清掃	●標準予防策に従って行う
	●また，病原体による汚染が疑われる場合には，病原体別対応に従って行う
訓練器具	●訓練器具・物品は，別に定める方法*で洗浄・清拭など処理を行う
	●枕を使用するときには，患者と接触する面にディスポシートを敷く
家族の見学時の対応	易感染性の患者がいる時間帯にはマスク装着・手指衛生をしてもらう

＊：当院リハビリテーション部部内マニュアル

19 手術部の感染対策

ポイント	●医療従事者媒介による交差感染を防止する
	●易感染状態にある患者を医療関連感染から守る
	●手術器械の管理を適切に行い感染の防止に努める

　手術を行う患者は全身麻酔や手術侵襲による免疫機能の低下により易感染状態である．手術操作は清潔操作が求められており，滅菌物の管理や術中の清潔の担保を行う必要がある．また，中心静脈ラインの挿入など手術操作以外でも清潔操作が必要である．感染リスクを軽減するためにも適切な個人防護具（PPE）の着用や環境管理が必要とされる．縫合針や刃物の受け渡しを行う場面が多いため針刺し・切創に注意し，職業感染予防に努める．

手指衛生	●手術室入室時は，すべての医療者は手指消毒を行う
	●WHO手指衛生5つのタイミングを遵守し手指衛生を行う
	●特に外科的処置や，気管内吸引，薬剤投与等清潔操作前は，必ず手指衛生を行う
	●手指衛生の評価として，手指消毒薬使用量のモニタリングを継続的に行う
	●手術時手洗いとしてはラビング法やスクラブ法を行う
個人防護具	●キャップ・マスク
	※手術部の清潔エリアに入る際は帽子を着用する
	※手術中や滅菌物が展開されている部屋では，口と鼻を覆うサージカルマスクを装着する
	●アイシールド
	※標準予防策に準じて使用する
	●手袋
	※標準予防策に準じて使用する
	※手袋を装着のまま，PC等の環境に触れてはならない
	※手術時の手袋は二重手袋の装着を推奨し，2～3時間ごと，または破れた場合には交換し，その都度手洗い手指衛生も実施する
	●エプロン・ガウン
	※標準予防策に準じて使用する
	※使用後の器械のカウントなど感染予防が必要な場合には，着用し実施する
	●シューズカバー
	※院外で使用している靴（患者を含む）での入室の場合は，手術室入口でシューズカバーを使用し入室する
	※院内で使用している靴であればシューズカバーは必要ない
	●感染経路別予防策が必要な細菌やウイルス（「**D 病原体別対応**」〈p.53～88〉参照）が検出された場合は，病原体別対応を踏まえ感染経路別予防対策に準じてPPEを使用する
手術時手洗い	術者（直接介助者）は手術時手洗いを実施し，通過菌の除去，常在菌を減少させ，術中に手袋が破損した際の術野汚染の防止をする
	●流水と抗菌性石けんによる手洗い（スクラブ法），あるいは衛生学的手洗いと擦式消毒用エタノール製剤による数分間の擦り込み式手洗い（ラビング法）のいずれでもよい
	●水は管理された水道水で十分であり，あえて滅菌水にする必要はない
	●手洗い時間は通常5～6分間が推奨される
	●速乾式手指消毒剤は可能な限り，クロルヘキシジングルコン酸塩配合のものを使用する

環境管理	●術間清掃 ※手術症例ごとに高頻度接触面を環境清掃用ウェットクロスもしくは除菌洗剤を含んだワイプで清拭し,各手術室の床は汚染されている範囲を,除菌洗浄剤に浸した専用モップを用いて湿式清掃する ※使用したベッド・機器類は除菌洗剤を含んだワイプで清拭する ●最終清掃 ※除菌洗浄剤に浸した専用モップを用いて,手術室内の床を清掃する ※その日の手術終了時には無影灯やモニター等のダスティングを行い,除菌洗剤の含んだワイプで環境表面を清拭し,手術室内の床全体を除菌潜洗剤に浸したモップで清掃する
手術器械の管理	●手術に使用した器械は,中央材料部で洗浄・消毒・滅菌を行う ●材料部で滅菌された物品に関しては「**A-4 洗浄,消毒,滅菌**」(p.15)をもとに管理を行う ●滅菌物は必要時に使用できるように,滅菌期限を定期的に確認し,使用頻度の低いものは滅菌管理の継続の必要性を検討する
職業感染予防	●器械出しを行う前に器械の扱い方や受け渡しの指導を行う(縫合針・メスの受け取りに関してはニュートラルゾーンを使用し,針刺し・切創に注意する) ●針刺し・切創,皮膚・粘膜曝露が発生した場合は内容を振り返り,再発予防策を検討し,スタッフへ周知する

抗菌薬適正使用

Point

- 抗菌薬を適正に使用するための指針を示します.
- 抗菌薬適正使用支援チームが，抗菌薬の使用状況と適切性に関して
  モニターしていることを示します.
- マニュアル作成と合わせて，抗菌薬の使用動向を定期的に調査し，
  フィードバックします.

抗菌薬適正使用とは

▶ 抗菌薬適正使用の目的

　1940年代にペニシリンが臨床応用されて以来，様々な抗菌薬が開発され，高度先進医療の発展に貢献してきた．一方で，抗菌薬投与のみに依存し診断や起因菌の同定が不十分なままに，広域抗菌スペクトルを有する抗菌薬（広域抗菌薬）が過剰に使用されてきた結果，メチシリン耐性黄色ブドウ球菌（MRSA）などの抗菌薬耐性菌が世界中で問題となっている．抗菌薬耐性菌による感染症は，抗菌薬の選択を困難にするばかりでなく，予後の悪化や在院期間の延長など医療安全を脅かし，医療費の増大をもたらしている．当院においても，この状況は例外ではなく，改善すべき抗菌薬の適正使用に取り組むものとする．

　※2016年4月5日，国際的に脅威となる感染症対策関係閣僚会議にて薬剤耐性（antimicrobial resistance：AMR）
　　対策アクションプランが策定され，国として耐性菌感染症に取り組む姿勢が明確化.

▶ 抗菌薬適正使用支援チームとは

　抗菌薬適正使用支援（antimicrobial stewardship：AS）とは，主治医が抗菌薬を使用する際，個々の患者に対して最大限の治療効果を導くと同時に，有害事象をできるだけ最小限にとどめ，いち早く感染症治療が完了できる（最適化する）ようにする目的で，感染症専門の医師や薬剤師，臨床検査技師，看護師が主治医の支援を行うことであり，ASを実践するチームをAST（antimicrobial stewardship team）という．

▶ ASTによる抗菌薬適正使用の評価方法

　ASTは，感染症治療の早期モニタリングとして特定抗菌薬（許可制抗菌薬・届出制抗菌薬など）を使用している患者や，血液や髄液などの微生物培養検査の陽性患者，耐性菌検出患者，および感染のリスクの高い患者集団（ICU/CCU，NICU/GCUに在室する患者や臓器移植患者など）に対し，以下の内容を経時的に評価し，必要に応じて主治医にフィードバックを行う．フィードバックを受けた主治医は，ASTと協議のうえ，抗菌薬の適正使用に努める．
①細菌培養などの適切な微生物検査の実施状況．
②対象患者の微生物検査・画像診断・バイオマーカーなどの診療情報と，アンチバイオグラムなどの病原体情報から判断し投与されている抗菌薬が適切であるか．
③抗MRSA薬のように複数の抗菌薬の選択肢がある場合は，薬剤の特性が患者個別の状態に応じているか．
④対象患者の微生物検査による起因菌や薬剤感受性が判明している場合は，根治治療（definitive therapy）としてde-escalationが可能かどうか．
⑤対象患者に使用されている抗菌薬の，用法・用量や治療期間が適切かどうか．

▶ ASTにおける介入プロセス（図I-1）

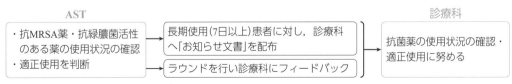

図I-1　当院のASTにおける介入プロセス

2 抗菌薬の許可制と届出制

▶ 許可制と届出制対象抗菌薬（表I-1）

表I-1 当院の許可制と届出制対象抗菌薬

許可制抗菌薬	リネゾリド（注/錠），ダプトマイシン シプロフロキサシン注，レボフロキサシン注 タゾバクタム/ピペラシリン メロペネム，ドリペネム，イミペネム/シラスタチン，パニペネム/ベタミプロン
届出制抗菌薬*	バンコマイシン，テイコプラニン

＊処方登録時に入力を行うことで届出が可能となる

▶ 当院の許可取得手順と処方方法

平日の日勤帯

1 ）診療科医師はASTへ連絡し，ICT医師に，患者状態と使用したい許可制抗菌薬および使用目的を伝え，適切性・用法・用量などを協議し，許可制抗菌薬の使用承認を得る．

　a）ICTの医師は，AST薬剤部に許可制抗菌薬の使用許可を出した旨を伝え，診療録へ「許可制抗菌薬使用許可記録」を記載する．

　b）AST薬剤師は，対象患者の「処方制限解除の患者登録，および使用期限の登録」を行う．

2 ）数分後に処方登録可能となる．

夜間・休日

1 ）診療科医師は薬剤部当直へ連絡し，許可制抗菌薬および使用目的を伝え，対象患者への「処方制限解除の患者登録」を依頼する．

　a）薬剤師は，対象患者の許可制抗菌薬に対する「処方制限解除の患者登録」を行う．

　b）解除期間は平日夜間であれば翌日まで，連休であれば休日明けまでとする．

2 ）数分後に処方登録可能となる．

3 ）診療科医師は，夜間・休日明けにASTへ連絡し，患者状態と使用したい許可制抗菌薬および使用目的を伝え，使用継続の適否を協議する．

　a）ICT医師は許可制抗菌薬の使用継続の適否について薬剤部に連絡する．許可対象の場合は，「許可制抗菌薬使用許可記録」を診療録に記載する．

　b）使用継続が可となった場合，薬剤師は対象患者の許可制抗菌薬に対する「使用期限の延長」を行う．

　c）抗菌薬変更が妥当と判断された場合，ICT医師は代替抗菌薬治療の提案を行う．

③ 抗菌薬投与指針

▶ 抗菌薬の初期選択と投与

1）抗菌薬投与の必要性を検討し，必要と判断した場合のみ，抗菌薬を選択し，投与法・投与量・投与期間を決める．また，根治治療（definitive therapy）を念頭におき，初回投与前に培養採取を行う．

2）治療対象となる微生物と治療対象臓器の組織内濃度を考慮した適正量の投与を行う．

3）必要に応じて薬物血中濃度測定を行い，有害事象を最小限に治療効果を最大化する投与設計を行う．

4）細菌培養などの検査結果を得る前でも，必要な場合は経験的治療（empiric therapy）を行うが，分離微生物の薬剤感受性判明後は，検査結果に基づく根治治療に変更する．

5）周術期の予防的投与には手術の清潔度と部位により投与時期と抗菌薬の選択をする．

6）メチシリン耐性黄色ブドウ球菌（MRSA），バンコマイシン耐性腸球菌（VRE），多剤耐性緑膿菌（MDRP）など特定の多剤耐性菌を保菌しているが，無症状の症例に対しては，抗菌薬の投与による除菌は行わない．

7）抗菌薬使用歴を把握しておく．

8）特別な例を除いて，同一抗菌薬を長期間連続使用しない．

9）投与開始時にエンドポイントを定め，目的の不明確な抗菌薬の長期投与を避ける．

10）投与目的や必要な理由をカルテに記載する．

11）使用方法によっては，ICT医師と薬剤師による状況確認が行われるため協力する．

12）抗菌薬の選択や投与方法など不明点があれば，感染症内科に適宜コンサルテーションを行う．

▶ 抗菌薬投与中の有効性の評価と継続・変更の判断

1）抗菌薬開始時の感染症診断の妥当性を確認する．

2）継続する抗菌薬の臨床的効果を確認する．

3）投与されている抗菌薬の副作用の出現の有無を確認する．

4）微生物検査の結果を確認し，抗菌薬の検討を行う（臨床的効果が不十分である場合は，再度微生物検査を行うこと）．

5）投与されていた抗菌薬の薬物血中濃度が適切であったか確認する．

6）併用薬との相互作用を確認する．

7）抗菌薬投与終了時期を患者状態から再確認する．

I

抗菌薬適正使用

J 廃棄物取り扱い

——— résumé ———

1 感染性廃棄物

Point

- 廃棄物のマニュアルは，一覧として廃棄物容器が設置されている場所に掲示できるように工夫しています．
- 廃棄容器の写真も載せると理解されやすい場合もあります．
- 区別がわかりにくい場合には，このほかにフローチャートなどを作成すると理解されやすいでしょう．

MEMO

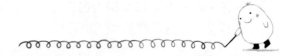

❶ 感染性廃棄物

感染性廃棄物とは「医療関係機関などから生じ，人が感染し，もしくは感染するおそれのある病原体が含まれ，もしくは付着している廃棄物またはこれらのおそれのある廃棄物」と定義されている（参考：環境省大臣官房廃棄物・リサイクル対策部：廃棄物処理法に基づく感染性廃棄物処理マニュアル）．感染性廃棄物であることを識別できるよう，梱包容器にバイオハザードマークが掲示されている（図J-1，図J-2）．

施設ごとに廃棄物分別表を作成し，管理を徹底する（表J-1，表J-2）．

▶ 感染性廃棄物の種類

①鋭利なもの（注射針など）………………………………………………………………黄色バイオハザードマーク
②固形状のもの（血液などが付着したガーゼなど）………………………………………橙色バイオハザードマーク
③液状または泥状のもの（血液など）……………………………………………………赤色バイオハザードマーク

黄色バイオハザードマーク（図J-1a）
- 容器の設置場所　：ICTの指定する位置
- 廃棄内容物　　　：鋭利なもの
　　　　　　　　　　点滴セット，カテーテル・チューブ類，注射筒・針など
　　　　　　　　　　血液が付着していない鋭利なもの（バイアル，アンプルやガラス片など）

橙色バイオハザードマーク（図J-1b）
- 容器の設置場所　：ICTが指定する位置
- 廃棄内容物　　　：血液・体液が付着したもの，液体でないもの
　　　　　　　　　　ガーゼ，手袋，マスク，ビニールエプロン，ガウン，処置シート
　　　　　　　　　　消毒空ボトル，点滴ボトルなど，針なし注射筒，感染性のあるオムツ類，カテーテル類

赤色バイオハザードマーク（図J-1c）
- 容器の設置場所　：ICTが指定する位置
- 廃棄内容物　　　：血液，血清，血漿および体液（精液を含む）
　　　　　　　　　　手術などに伴って発生する病理廃棄物（摘出または切除された臓器，組織，郭清に伴う皮膚など）

図J-1　バイオハザードマーク（感染性廃棄物の種類）
a：鋭利なもの，b：固形状のもの，c：液状または泥状のもの

病院内で感染性廃棄物を扱う部署は容器に図J-2の掲示を行うこと.

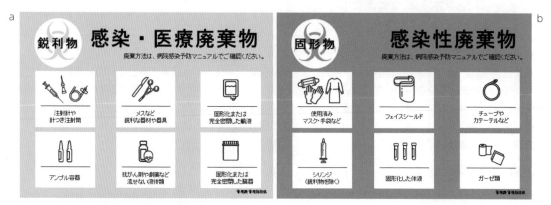

図J-2 掲示する容器の種類
a：高密閉型プラスチック容器，b：段ボール

表J-1 **感染性および医療廃棄物分別表**

種別	容器	内容物	注意点	感染対策
鋭利	高密閉型プラスチック容器 （容器サイズ） 自施設の容器の写真	●針類 （プラスチック針含む） ●針つき注射筒 ●メス，鋭利な器具・器材 ●アンプル，バイアル，ビン類 ●血液，体液の付着したビン類 ●携帯用針捨てBOX	●臓器，血液，体液などは入れないこと ●鋭利物はプラスチック容器からはみ出さないように廃棄すること	●個人防護具を装着すること ●内容量の80%を目安に蓋を閉める ●蓋を閉める際に，針刺しなどに注意 ●箱の取り扱いの際には手袋を使用すること ●箱の中身の移し替えは禁止
固形物	2重のビニール袋 または ビニール袋＋ダンボール容器 または 密閉型プラスチック容器 （容器サイズ） 自施設の容器の写真	●汚染された個人防護具 ●汚染されたガーゼ，綿球 ●オムツ類 ●ストーマ関連の廃棄物 ●膀胱留置カテーテルなど ●そのほか，医療材料	●完全に固形化させること ●廃棄時にポリ袋の口は完全に結ぶこと ●ガムテープで封をすること ●鋭利物は入れないこと	
液体	高密閉型プラスチック容器 （容器サイズ） 自施設の容器の写真	●臓器，血液，体液の入ったスピッツ ●輸血パックなど ●臓器などの検体 ●凝固薬で固めにくい廃棄物など（胸腔ドレーンの廃液など）	●鋭利物と分別すること ●固形物と分別すること	

表には，自施設で使用する廃棄物用容器の写真とサイズを表示するとよい

表J-2 　一般・資源・産業廃棄物分別表

分類	種類と容器	内容物	注意点	感染対策
一般廃棄物	可燃ごみ (袋の形状：○○)	●紙類，食品包装，繊維くず ●汚染されていないガーゼなど ●汚染されていない個人防護具	●汚染しているか，していないかは医療従事者が判断し，汚染が不明な場合は，感染性廃棄容器に捨てる ●針類を捨てない	
	汚物缶 (袋の形状：○○)	●トイレに配置し，生理用品やオムツ用品に専用で使用する	●トイレごとに縛り，灰色容器(密閉型プラスチック容器)に回収する	
資源廃棄物	ビン・カン類 (袋の形状：○○)	●飲料用のビン・カン類	●スプレー缶は，穴を開けず別にビニール袋に入れ，ごみ箱の横に置くこと	
	ペットボトル類 (袋の形状：○○)	●ペットボトル類	●蓋は分別する ●蓋は可燃として廃棄するか，所定のリサイクル回収場所へ出すこと	針類が混入していることがあるので，廃棄には注意する
	再生可能な紙類	●上質紙，ミスコピーの紙	●紐で縛ってごみ箱の横に置くこと	
		●段ボール	●たたんでごみ箱の横に置くこと	
		●シュレッダーごみ	●ほかの可燃ごみとは一緒にせず，単独で封をすること	
機密文書	機密文書	●患者情報などの紙	●段ボールに入れ，封をし，機密文書であることを明記すること ●中身がみえないようにすること ●担当事務(内線：○○)へ連絡のうえ，所定の場所に廃棄すること	
産業廃棄物	限定プラスチック類 (袋の形状：○○)	●液体石けん容器 ●消毒薬容器 ●空の点滴ボトル	●点滴ボトルは無理に分離，切断しない ●個人情報は剥がす ●フィルム系は可燃ごみにする	
	金属ごみ	●機器類，机，ロッカーなど	●備品を廃棄する際は，担当事務(内線：○○)に連絡のうえ，集積所に廃棄する	
	不燃ごみ (袋の形状：○○)	●陶器，ガラス類，ボールペン，ハンガーなど	●ビニール袋に入れ，ごみ箱の横に置くこと	

表を作成する場合，自施設で使用する廃棄物用の袋の形状(色や大きさ)などを表示するとよい．また，機密文書や備品を廃棄する際の問い合わせ先(担当事務などの連絡先)がわかるように記載するとよい

J

廃棄物取り扱い

項目	No	☑	おさえておきたい重要ポイント	No	☑	項目の中で詳細が必要と思われる点
1）改訂について	1	☐	定期的(1年～3年/回)な改訂がされている	1	☐	改訂年月がわかる一覧表がある
	2	☐	改訂年月が記載されている			
2）標準予防策	3	☐	手洗い方法	2	☐	手洗い方法について必要性などが文章化されている
				3	☐	手洗いの手順が写真つきでわかりやすい
	4	☐	速乾性手指消毒剤使用方法	4	☐	消毒方法について必要性などが文章化されている
				5	☐	消毒方法の手順が写真つきでわかりやすい
	5	☐	PPE使用基準	6	☐	複数のPPEの着脱の順序を示した手順がある
				7	☐	手袋の性能や外し方などの方法や注意点が記載されている
				8	☐	マスクの性能や外し方などの方法や注意点が記載されている
				9	☐	エプロンやガウンの性能や脱ぎ方などの方法や注意点が記載されている
				10	☐	フェイスシールドやゴーグルの性能や外し方などの方法や注意点が記載されている
	6	☐	必要に応じた環境消毒	11	☐	病室
				12	☐	車いす・ストレッチャーなど
				13	☐	スタッフステーション
	7	☐	院内清掃作業手順	14	☐	外部委託の清掃作業手順
	8	☐	院内の消毒薬剤の種類と使用方法			
3）感染経路別予防策	9	☐	接触感染予防策			
	10	☐	飛沫感染予防策			
	11	☐	空気感染予防策			
4）外来患者の対応	12	☐	外来患者の対応	15	☐	感染症または感染症が疑われる患者の隔離方法
				16	☐	対象の疾患
				17	☐	対応フローチャート
5）職業感染防止策	13	☐	職業感染防止策	18	☐	職業感染の予防について
				19	☐	職業感染発生時の対応について
6）針刺し発生時の対応	14	☐	B型肝炎			
	15	☐	C型肝炎			
	16	☐	HIV			
7）職員のウイルス抗体検査およびワクチン接種についての院内規程	17	☐	職員の抗体価検査			
	18	☐	ワクチン接種			
8）部署別の感染対策	19	☐	部署別の感染対策	20	☐	ICU
				21	☐	CCU
				22	☐	NICU/GCU
				23	☐	透析室
				24	☐	移植病棟
				25	☐	熱傷病棟
				26	☐	手術室
				27	☐	細菌検査室
				28	☐	病理解剖室
				29	☐	外来処置室
				30	☐	リハビリ室
				31	☐	リネン室
				32	☐	その他（　　　　　　　　　　　）

項目	No	✓	おさえておきたい重要ポイント	No	✓	項目の中で詳細が必要と思われる点
9）空調設備、給湯設備などの衛生管理	20	☐	空調整備の衛生管理	33	☐	全体空調管理の清掃・整備
				34	☐	HEPAフィルターなどの清掃・管理
	21	☐	給湯設備などの衛生管理	35	☐	各水道場所の定期的な清掃について
10）疾患別感染対策	22	☐	疾患別感染対策	36	☐	結核
				37	☐	インフルエンザ
				38	☐	ウイルス性胃腸炎
				39	☐	疥癬
				40	☐	肝炎
				41	☐	C.ディフィシル
				42	☐	腸管出血性大腸菌
				43	☐	麻疹・水痘
				44	☐	CJD
				45	☐	新型コロナウイルス
				46	☐	SARS・MERS
				47	☐	エムポックス（サル痘）
				48	☐	その他（　　　　　　　　　　）
11）病院感染の発生を疑ったときの夜間・休日を含む院内外の報告体制	23	☐	病院感染の発生を疑ったときの夜間・休日を含む院内外の報告体制	49	☐	平日：院内報告体制
				50	☐	平日：院外報告体制
				51	☐	休日・夜間：院内報告体制
				52	☐	休日・夜間：院外報告体制
12）耐性菌対策	24	☐	耐性菌対策	53	☐	MRSA
				54	☐	カルバペネム耐性緑膿菌
				55	☐	MDRP
				56	☐	VRE
				57	☐	CRE
				58	☐	MDRAB
13）患者・家族への説明・対応に関する規定	25	☐	患者・家族への説明・対応に関する文章			
14）感染性廃棄物処理方法	26	☐	感染性廃棄物を廃棄する方法	59	☐	基準
				60	☐	分別表
15）感染症法				61	☐	感染症法対象疾患と届出について施設内での対応手順があるか
				62	☐	対象となる疾患がわかりやすく明記されているか
16）院内給食などによる食中毒対応				63	☐	院内給食などによる食中毒対応手順があるか

合計点数（　　　　／26点中）　　　　　　　　　合計点数（　　　　／63点中）

おもな略語一覧

	略語	英名	和名
A	AMR	antimicrobial resistance	薬剤耐性
	AST	antimicrobial stewardsip team	抗菌薬適正使用支援チーム
B,C,E	BCR	bioclean room	無菌室
	CABSI	catheter-associated bloodstream infection	カテーテル関連血流感染
	CAUTI	catheter-associated urinary tract infection	尿道カテーテル関連尿路感染
	CD	*Clostridioides difficile*	クロストリディオイデス・ディフィシル
	CHDF	continuous hemodiafiltration	持続的血液濾過透析
	CJD	Creutzfeldt–Jakob disease	クロイツフェルト・ヤコブ病
	CRE	carbapenem-resistant *Enterobacteriaceae*	カルバペネム耐性腸内細菌科細菌
	ECMO	extracorporeal membrane oxygenation	体外式膜型人工肺
	EOG	ethylene oxide gas	エチレンオキシドガス
	ESBL	extended-spectrum β-lactamase	基質特異性拡張型βラクタマーゼ
G,H,I	GCU	growing care unit	継続保育室
	HBV	hepatitis B virus	B型肝炎ウイルス
	HCV	hepatitis C virus	C型肝炎ウイルス
	HIV	human immunodeficiency virus	ヒト免疫不全ウイルス
	HTLV	human T-cell leukemia virus	ヒトT細胞白血病ウイルス
	HUS	hemolytic uremic syndrome	溶血性尿毒症症候群
	ICT	infection control team	感染制御チーム
	ICU	intensive care unit	集中治療室
M,N	MDRAB	multidrug-resistant *Acinetobacter baumannii*	多剤耐性アシネトバクター
	MDRP	multidrug-resistant *Pseudomonas aeruginosa*	多剤耐性緑膿菌
	ME	medical engineering	臨床工学技士
	MERS	middle east respiratory syndrome	中東呼吸器症候群
	MRSA	methicillin-resistant *Staphylococcus aureus*	メチシリン耐性黄色ブドウ球菌
	NICU	neonatal intensive care unit	新生児特定集中治療室
P,S	PICC	peripherally inserted central catheter	末梢挿入中心静脈カテーテル
	PPE	personal protective equipment	個人防護具
	SARS	severe acute respiratory syndrome	重症急性呼吸器症候群
	SPD	supply processing & distribution	医療材料等物流管理
	SSI	surgical site infection	手術部位感染
	SUD	single-use device	単回使用医療機器
V	VAP	ventilator-associated pneumonia	人工呼吸器関連肺炎
	VRE	vancomycin-resistant *Enterococcus*	バンコマイシン耐性腸球菌
	VRSA	vancomycin-resistant *Staphylococcus aureus*	バンコマイシン耐性黄色ブドウ球菌

参考文献

- 厚生労働省：感染症の予防及び感染症患者に対する医療に関する法律（令和5年4月1日法律69号）
- 感染症法研究会（編）：感染症法令通知集（平成25年版）．中央法規出版，2013
- 厚生労働省：平成26年12月19日厚生労働省医政局指導課長通知 医療機関等における院内感染対策について
- 厚生労働省：平成26年6月23日厚生労働省医政局指導課事務連絡 医療機関等において多剤耐性菌によるアウトブレイクを疑う基準について
- 文部科学省：学校保健安全法施行規則（令和5年）
- 国立大学附属病院感染対策協議会　病院感染対策ガイドライン（改訂第4版 平成26年）
- 国立大学附属病院感染対策協議会　病院感染対策ガイドライン（改訂第5版 平成29年）
- 国立大学附属病院感染対策協議会　病院感染対策ガイドライン（改訂第5.1版 令和5年）
- 環境省環境再生・資源循環局：廃棄物処理法に基づく感染性廃棄物処理マニュアル（平成30年3月改定）
- 日本医療福祉設備協会：病院設備設計ガイドライン（空調設備編）HEAS-02-2022
- 職業感染制御研究会：職業感染防止のための安全対策製品カタログ集（第5版），2012
- 職業感染制御研究会：エピネット日本版 Ver.5
- 日本看護協会：日本看護協会看護業務基準集（2021年改訂版）．日本看護協会出版会，2021
- 米国疾病対策センター（原著），矢野邦夫・他（訳・編）：改訂2版　医療現場における隔離予防策のためのCDCガイドライン．メディカ出版，2007
- 米国疾病対策センター（原著），満田年宏（訳・編）：医療施設における消毒と滅菌のためのCDCガイドライン．ヴァンメディカル，2008
- 米国疾病対策センター（原著），満田年宏（訳・著）：カテーテル関連尿路感染予防のためのCDCガイドライン2009．ヴァンメディカル，2010
- 米国疾病対策センター（原著），満田年宏（訳・著）：血管内留置カテーテル関連感染予防のためのCDCガイドライン2011．ヴァンメディカル，2011
- 日本化学療法学会臨床試験委員会皮内反応検討特別部会：抗菌薬投与に関連するアナフィラキシー対策のガイドライン（2004年版），2004
- 8学会合同抗微生物薬適正使用推進検討委員会：抗菌薬適正使用支援プログラム実践のためのガイダンス，2017
- 薬剤耐性（AMR）対策アクションプラン
  https://www.mhlw.go.jp/stf/seisakunitsuite/bunya/0000120172.html（令和5年4月閲覧）
- 日本環境感染学会：医療関係者のためのワクチンガイドライン　第3版．環境感染誌35（SupplⅡ）：S1-S33，2020
- 千葉感染制御研究所（編）：院内感染　法令・通知集―病院必携．丸善プラネット，2018

感染管理とマニュアル作成に活かせる！
千葉大学病院　病院感染予防対策パーフェクト・マニュアル
改訂第3版　　　　　　　　　　　　　　　ISBN978-4-7878-2631-2

2023年8月4日　改訂第3版第1刷発行

2015年1月5日　初版第1刷発行
2020年3月6日　改訂第2版第1刷発行

監　　修　　猪狩英俊
編　　集　　千葉　均
発 行 者　　藤実正太
発 行 所　　株式会社　診断と治療社

　　　　　　〒100-0014　東京都千代田区永田町2-14-2　山王グランドビル4階

　　　　　　TEL：03-3580-2750（編集）　03-3580-2770（営業）

　　　　　　FAX：03-3580-2776

　　　　　　E-mail：hen@shindan.co.jp（編集）

　　　　　　　　　　eigyobu@shindan.co.jp（営業）

　　　　　　URL：http://www.shindan.co.jp/

挿　　画　　伊藤香奈，石村りさ
印刷・製本　　三報社印刷株式会社

©Chiba University Hospital, 2023. Printed in Japan.　　　　　　　［検印省略］
乱丁・落丁の場合はお取り替えいたします．